DEL ABSURDO A LA ZARZUELA: GLOSARIO DRAMÁTICO, TEATRAL Y CRÍTICO

Gerardo Luzuriaga

GIROL Books, INC.

Colección Telón

COLECCIÓN TELÓN

Dirigida por: Miguel Angel Giella y Peter Roster

Este libro se compuso en Monotype Columbus 10 y Adobe Minion

Diseño de tapa y composición: L.A.R. Typography
Impreso en Canadá / Printed in Canada
Imprime: Cosmic Printing, Ottawa

Primera edición, 1993

GIROL Books, Inc.
P.O. Box 5473, Station F
Ottawa, Ontario
Canada, K2C 3M1
Tel/Fax: (613) 233-9044

ISBN 0-919659-36-5

PREFACIO

Este glosario dramático, teatral y crítico tuvo una primera versión mimeografiada, y bastante más sucinta, en 1971 cuando, recientemente incorporado al plantel docente de la Universidad de California en Los Angeles, creí necesario escribir un vocabulario mínimo para mis estudiantes de teatro hispanoamericano del nivel de Licenciatura. Pocos años después mi colega y colaborador Richard Reeve accedió a que apareciera esa versión como apéndice en nuestro libro *Los clásicos del teatro hispanoamericano* (1975). En los últimos años he dictado varios cursos sobre diversas formas de teatro breve, incluso el llamado «género chico», lo cual me dio la oportunidad para preparar un mini diccionario sobre ese tema, también para uso de mis alumnos. Esos dos glosarios formaron la base para una extensa revisión y ampliación que hice en 1992 y 1993 y que dio como resultado *Del absurdo a la zarzuela*. El presente trabajo es entonces el fruto de mi interacción con mis estudiantes. Ellos me han motivado a través de los años a tratar de satisfacer su deseo de adquirir conocimientos sólidos, expuestos de manera clara y concisa. Espero que este glosario contribuya a sentar esos fundamentos conceptuales en el lector que se inicia en los estudios de teatro y de literatura dramática.

Como todo estudiante sabe o intuye, el texto dramático es un escrito concebido para ser escenificado por un equipo artístico-técnico ante un público. El texto dramático es el que se escribe **para** el escenario, en tanto que el texto teatral escénico es el que se produce **en** el escenario, si bien ambos están interrelacionados. Por otro lado, con frecuencia el alumno que por primera vez estudia de modo formal la literatura dramática, ya ha participado en montajes escénicos escolares y se interesa por tanto en buscar los nexos entre literatura y teatro. Por consiguiente, es perfectamente legítimo y recomendable abordar el texto dramático sin pasar por alto su virtualidad escénica, su relación al menos potencial con el mundo del teatro propiamente dicho. Por esa razón en este léxico se registran términos relativos a todo aquello que es el complemento natural del drama: espacio escénico, actuación, estilos escénicos, etc. Pero solamente con el propósito de que no se olvide el entorno al que se debe la obra dramática, pues en este glosario el énfasis está puesto en la terminología que será de mayor utilidad al estudiante en su manejo de materiales relacionados con la literatura dramática, es decir, textos dramáticos, historia y crítica literaria, y teorías dramáticas y teatrales, sobre todo en el ámbito de la cultura española y latinoamericana.

Ninguna guía para el estudio del género dramático puede prescindir de la doctrina de Aristóteles, a cuya *Poética*, al igual que a la realidad teatral en que se basó, hay forzosamente numerosas referencias en este vocabulario. Pero los sistemas teóricos, lo mismo que los estilos dramáticos y escénicos, cambian con la historia, y por consiguiente es preciso examinarlos en el contexto en que surgieron, y no pensar que ninguno de ellos constituya una especie de dechado porque su autor se haya ganado un espacio seguro en las historias o manuales de teatro. A las contribuciones teóricas de varios otros estudiosos y practicantes, tales como Lope de Vega, Bertolt Brecht, Augusto Boal, Anne Ubersfeld, Patrice Pavis y otros más, se alude en este glosario, y a todas ellas será aconsejable considerarlas pensando en el momento histórico y medio cultural en que se desarrollaron.

Numerosos términos relacionados con el teatro tienen varias acepciones, y todas ellas se consignan en este vocabulario. Hay vocablos de uso corriente que no se ajustan a normas críticas rigurosas, que también constan en este glosario, aunque con las debidas clarificaciones conceptuales. En el caso de los conceptos de mayor interés o complejidad, tales como «coro», «estructura dramática», «lenguaje dramático» o «teatro popular», ofrezco una explicación más elaborada, para evitar simplificaciones que pudieran causar confusión. En estas instancias, como es natural, mi propio punto de vista se evidencia más fácilmente que en las definiciones más convencionales.

Con el propósito de que este glosario pueda ser utilizado con un criterio orgánico, incluyo al principio una clasificación de términos por campos conceptuales. Para facilitar la búsqueda de frases que comienzan con la palabra «teatro», que son numerosas, las he registrado como tales (v. gr., «teatro de la crueldad», «teatro del oprimido»), pero seguidas apenas de una referencia que remite a la palabra más significativa de la frase («crueldad», «oprimido»), donde se hallará la definición completa. Sólo tratándose de nombres propios, como «Teatro Experimental de Cali», y en otros pocos casos plenamente justificables, doy la definición en la sección que comienza con «teatro». Asimismo, para complementar la comprensión de algunos conceptos, en varias definiciones dirijo al lector a otras entradas del glosario, relacionadas con el asunto en cuestión. Al final agrego un apéndice para el lector angloparlante que quiera tener a mano una lista en inglés de los términos teatrales más comunes con su equivalente en español, y también una breve bibliografía comentada, que espero que pueda servir a quien se interese en ampliar sus conocimientos de historia, análisis, crítica y teoría dramática.

Gerardo Luzuriaga
Los Angeles
Octubre de 1993

SUGERENCIAS DE LECTURA

Para quien desee realizar una lectura orgánica de las principales entradas de este vocabulario, se sugieren a continuación cuatro campos conceptuales. Se recomienda proceder en el mismo orden en que aparecen los términos de cada grupo, pues están dispuestos con un criterio cronológico y/o lógico.

1. Términos Relativos a la Historia del Teatro

Teatro
Dionisio
Tespis
Orquesta
Skene
Coro
Atelana
Mimo
Pantomima
Poética
Medieval
Litúrgico
Mansión
Moralidad
Pastorela
Drama de la pasión
Precolombino
Misionero
Isabelino
Corral
Auto sacramental
Comedia
Zarzuela
Commedia dell'arte
Arlequín
Romanticismo
Realismo
Naturalismo
Teatro Libre
Teatro de Arte de Moscú
Expresionismo
Divismo
Género chico
Sainete criollo
Revista
Carpa
Tanda
Teatro de director
Epico
Independiente
Teatro del Pueblo
Absurdo
Oprimido
Teatro Arena
Pobre
Teatro Experimental de Cali
Chicano

2. Términos Relativos a la Representación Teatral

Teatro
Obra de teatro
Texto teatral
Corral
Teatro a la italiana
Cuarta pared
Escenario
Proscenio
Ante-escena
Público
Galería
Palco
Espacio
Marco teatral
Arena
Representación
Puesta en escena
Utilería
Iluminación
Candilejas
Decorado
Máscara
Actor
Actuación
Pantomima
Bululú
Commedia dell'arte
Improvisación
Empatía
Primer actor
Divismo
Beneficio
Teatro de actor
Teatro de director
Método
Superobjetivo
Director
Blocking
Diseñador
Apuntador
Ritual
Carnaval
Danza tradicional
Folklórico
Café teatro
Ambiental
Callejero
Carpa
Festival

3. Términos Relativos al Texto Dramático

Teatro
Dramaturgo
Censura
Autocensura
Texto dramático
Subtexto
Lenguaje dramático
Acotación
Diálogo
Acción dramática
Estructura dramática
Episodio
Escena
Trama
Deus ex machina
Fábula
Unidades
Espacio
Tiempo
Presentación
Fuerza incitante
Desarrollo
Nudo
Crisis
Clímax
Anticlímax
Desenlace
Apoteosis
Situación dramática
Conflicto
Personaje
Carácter
Coro
Personaje coral
Gracioso
Personaje-tipo
Juego de roles
Metateatro
Protagonista
Antihéroe
Villano
Género
Tragedia
Héroe trágico
Peripecia
Hamartia
Anagnórisis
Calamidad
Catarsis
Conmiseración y terror
Presagio
Drama
Comedia
Tragicomedia
Melodrama
Farsa
Opera
Auto sacramental
Pastorela
Entremés
Loa
Sainete
Género chico
Lírico
Revista
Comedia musical
Zarzuela
Drama de ideas
Drama de tesis
Drama para ser leído
Drama social
Documental
Sociodrama
Psicodrama

4. Términos Relativos a la Crítica y a la Teoría sobre el Drama y el Teatro

Arte poética
Apolíneo
Aristotélico
Mimesis
Probabilidad
Propiedad
Divertir y enseñar
Verosimilitud
Arte nuevo de hacer comedias
Lenguaje teatral
Marco teatral
Pacto teatral
Cinética
Proxémica
Semiología
Signo
Actante
Didascalia
Deíxis
Código
Convención
Competencia
Mensaje
Analepsis
Discurso
Voz
Autor virtual
Recepción
Hermenéutica
Lectura
Lector conjetural
Desfamiliarización
Epico
Gestus
Distanciamiento
Empatía
Metateatro
Teatralismo
Oprimido
Espectáculo
Popular

absurdo; teatro del absurdo

También conocido como **absurdismo**, el teatro del absurdo es un movimiento teatral vanguardista originado en Francia después de la Segunda Guerra Mundial, que tuvo una alta resonancia en Europa y América. Sus principales cultivadores fueron el francés Samuel Beckett (1906), el rumano-francés Eugene Ionesco (1912) y el español Fernando Arrabal (1932), entre los europeos; y Edward Albee (Estados Unidos, 1928) y Jorge Díaz (Chile, 1930), entre los americanos. Emparentada filosóficamente con el Dadaísmo y el Surrealismo, pero sobre todo con el Existencialismo, la dramática del absurdo subraya el contenido de tipo existencialista (en especial el sinsentido de la vida humana) en vez de la profundización psicológica de los personajes o la crítica social. Uno de sus motivos favoritos es el fracaso de la comunicación humana. Como bien ha indicado Martin Esslin, el escritor absurdista no se expresa siempre en forma seria y racional, como el existencialista, sino en un estilo irónico y a veces disparatado que, paradójicamente, impresiona como una expresión más realista que la del propio Realismo. Muchas obras absurdistas se caracterizan por ser demasiado «verbales», «conversadas» y estáticas. Más que contar una historia, exploran una situación. Varias de ellas tienen una estructura repetitiva o circular. La trama suele ser mínima, pero la atmósfera muy rica en matices. Dentro del teatro del absurdo cabe el tono ligero, como en *El cepillo de dientes* de Jorge Díaz, al igual que el tono de seriedad y angustia, como en *Esperando a Godot* de Beckett. Buen ejemplo del absurdismo es *La cantante calva* de Ionesco, farsa en la que el autor parece mofarse de los preceptos dramatúrgicos tradicionales, como la anagnórisis aristotélica, la caracterización consistente, la trama de causa y efecto, la necesidad de contar una historia; obra en fin en la que «no pasa nada», de la que es imposible extraer una fábula, en la que el lenguaje convencional se desintegra ante nuestros ojos, y que rechaza los presupuestos filosóficos del drama típico.

accesorios

Objetos de menor volumen, utilizados junto con la utilería para completar el decorado.

acción dramática

Sistema o conjunto de eventos del drama y su significado. Vistos los eventos desde la perspectiva de su organización, constituyen la trama; desde el punto de vista de su sentido, constituyen la acción. La acción dramática no tiene que ser «física» o violenta, ni un accionar continuo. Puede ser «mental» o «psicológica», y muy sutil. Aristóteles (384-322 a.C.) en su *Poética* trató de la acción (*mythos*) en los dos aspectos antes señalados. El la definió como la «imitación de una acción», y asimismo como la «representación de hombres en acción, hombres haciendo cosas», es decir como algo que tuviera relación con las experiencias humanas de la vida real y que se pareciera a ellas. Pero para que fuera una verdadera acción dramática y artística, debería, según él, ser completa, y tener organización y coherencia, o sea, tener principio, medio y fin. El proponía también que la acción fuera un todo unificado, único, no múltiple. No todos los dramaturgos han seguido ese consejo, y hay una gran cantidad de dramas que tienen acción principal y acciones secundarias.

Una manera fructífera de iniciar el análisis de la acción dramática es intentar resumirla en una breve oración, con sujeto y predicado. Este ejercicio obliga al analista a decidir quién es el/la protagonista de la acción y cuál es la acción principal, y a encontrar la coherencia de dicha acción. (Véase «trama», «estructura dramática»).

acción simultánea

Se utiliza esta expresión para referirse a dos o más escenas cuyas acciones respectivas se desarrollan a la vez.

acotación

Anotación que hace el autor en su obra dramática para señalar diversos elementos de la representación escénica, tales como movimientos o gestos de los actores, decorado, iluminación, efectos sonoros, etc., según la concibe él. Las acotaciones se interpolan en el texto dramático entre paréntesis o en un tipo de letra diferente al de los parlamentos. Algunos autores utilizan las acotaciones con mucha libertad, y hasta llegan a hacer comentarios líricos, críticos o paródicos sobre los personajes o la acción dramática. Los dramas antiguos no contenían acotaciones, pues por lo general sus autores estaban íntimamente involucrados en la producción teatral, ya como actores o directores, y por consiguiente no necesitaban poner por escrito las instrucciones escénicas; fueron los eruditos quienes intercalaron esas instrucciones en el diálogo, infiriéndolas de él, para beneficio del lector y director. Las acotaciones que señalan la preferencia del autor por un determinado tipo de escenificación, pueden ser tomadas en cuenta o no por el director, quien en la actualidad suele desempeñar su oficio con suma independencia. Aunque lo normal es que las acotaciones se transmuten en otros signos no verbales en la transformación de la obra dramática en obra teatral, ocasionalmente, y a modo de experimento, se han hecho montajes en que las acotaciones han sido leídas en el escenario, es decir han mantenido su carácter verbal. En algunas escenificaciones dirigidas por Bertolt Brecht (Alemania, 1898-1956), los carteles topográficos entre escenas (parte de sus técnicas de «literarización») constituían también una especie de persistencia verbal excepcional en el escenario.

En contraposición a los parlamentos, cuyos enunciadores son personas imaginarias que se dirigen a otros personajes del mundo dramático, suele decirse de las acotaciones, meritoriamente, que su enunciador es el propio dramaturgo, que se dirige al lector o a los practicantes (director, actores, escenistas) para que configuren un espacio imaginario en donde interactúen los personajes. Puede argüirse que las acotaciones constituyen un discurso separado (discurso explícito del autor) que provee un marco o contexto para el diálogo, pero es poco plausible considerarlas como el enunciado de un «narrador básico», pues esta denominación remite a características de otro género del todo incompatibles con la naturaleza del teatro. Revelando la dificultad teórica que presentan las acotaciones, Roman Ingarden se refiere a ellas simplemente como «texto secundario» en oposición al «texto principal» (el diálogo). Y secundario lo conceptúan algunos críticos literarios por tratarse por lo general de un discurso eminentemente «pragmático», de poco interés «literario». Sin embargo es un texto importante desde la perspectiva de la virtualidad escénica de la obra dramática, y por ello el lector hará bien en fijarse con cuidado en las acotaciones, que le ayudarán a imaginar más claramente el lugar, los movimientos, la atmósfera, etc. (Véase «didascalia», «espacio», «lenguaje dramático», «parlamento»).

actancial (Véase «actante»).

actante

En la teoría de A. J. Greimas, los actantes son las funciones o roles que configuran la estructura profunda de una narrativa. Esos actantes son seis: el sujeto, el objeto, el ayudante, el oponente, el emisor o destinador y el receptor o destinatario. El eje central de la acción está constituido por un sujeto (protagonista) que se propone conseguir un objetivo. En esa búsqueda generalmente recibe el apoyo de uno o varios ayudantes, y se enfrenta a la obstrucción de uno o más oponentes (el principal de éstos es el antagonista). El sujeto es impulsado a buscar su objeto por una fuerza motriz (destinador), que puede ser de índole social, para beneficio de un grupo o individuo (destinatario), dentro del universo dramático. Este modelo **actancial** privilegia la función del sujeto, y puede ser útil para el análisis de dramas de búsqueda. La aplicación del modelo suele complicarse cuando un mismo personaje desempeña más de una función actancial, alternadamente o a la vez. (Véase «conflicto», «trama»).

acto

1. Subdivisión de un drama, mayor que una escena o cuadro. Entre acto y acto suele haber intervalo (o entreacto) marcado a veces por cierre de

telón. Horacio (Roma, 65-08 a. C.) propuso la estructura dramática en cinco actos, que fue observada en general durante el Renacimiento y el Neoclasicismo francés. En el Siglo de Oro español la estructura preferida fue en tres actos o jornadas. En la actualidad los dramas se estructuran en uno, dos o tres actos. 2. En el Teatro Chicano, acto es el nombre dado a una pieza dramática breve y satírica. (Véase «cuadro», «episodio», «escena»).

actor y actriz

Individuos que representan a los personajes en el espectáculo teatral; «encarnan» a personas imaginarias, fingen ser ellas, haciéndolas físicamente presentes. Son ellos mismos y a la vez son otros.

Los recursos con que cuenta el actor son su cuerpo, su voz, su memoria, su imaginación y su capacidad emotiva. En un actor profesional, todos esos recursos han sido sometidos a un riguroso entrenamiento, a veces desde muy temprana edad, como sucede en algunos países asiáticos. Un buen actor de la escuela naturalista tiende a ser transparente: no debiera haber nada en sus gestos o en su voz que no permita ver al personaje que simula ser. En cambio, un buen actor de la escuela épica de Brecht es a la vez transparente y opaco, pues su propósito es que el público sea testigo de la ilusión dramática y también del artificio con que se la crea. En la escuela naturalista, el actor enfoca su atención en la vida interior de su personaje: quién es, qué pretende en su vida, cómo lograrlo, etc. Ese conocimiento íntimo de su personaje le ayuda a acercarse a él (empatía) y a «encarnarlo» adecuadamente a nivel textual y subtextual (lo implícito). En la escuela brechtiana, el foco de atención es la ideología del personaje: cuál es su clase y actitud social, cómo su modo de pensar revela su estatuto social, de qué manera su conducta responde a las condiciones sociohistóricas. Los resultados de ese análisis le sirven para juzgar y distanciarse del personaje a la vez que lo representa.

Un fenómeno propio de fines del siglo XIX y de la primera parte del XX en el mundo hispánico y en Occidente en general fue el del **actor-director** y de la **actriz-directora**, que era la figura principal del elenco y que desempeñaba a la vez la función de gerente (más que de director en su sentido actual) de una compañía. Tal el caso de María Guerrero en España o de Virginia Fábregas en México. (Véase «improvisación», «máscara», «personaje», «primer actor», «divismo», «teatro de actor», «signo»).

actuación

Desempeño de los actores en el escenario. Una de las escuelas de actuación más influyentes ha sido la desarrollada por Konstantin Stanislavski (Rusia, 1863-1938). El insistió mucho en la necesidad de que el actor adquiera una adecuada técnica psicológica, para contrarrestar las deficiencias (indisciplina, efectismo, acento declamatorio, etc.) de los actores tradicionales que dependían por entero de la «inspiración» y de la intuición. (Véase «método», «Teatro de Arte de Moscú»).

adaptación
Cambios realizados en una obra para efectos de su escenificación. Tratándose de una obra dramática antigua, por ejemplo, el adaptador (que es comúnmente el director o un asesor artístico llamado a veces «dramaturgista») suele recortar escenas o modificar el diálogo con miras a «actualizar» el texto. A veces la adaptación consiste en convertir escritos narrativos o poéticos en textos dramáticos. Así, por ejemplo, el drama muy conocido de Enrique Buenaventura (Colombia, 1925) *A la diestra de Dios Padre* es una adaptación de un cuento folklórico de Tomás Carrasquilla.

agitprop
Forma dramática orientada a la franca diseminación de propaganda política de izquierda, que tuvo un auge notable en las décadas de 1920 y 1930 en los Estados Unidos (**agitation and propaganda**). (Véase «político»).

agnición
Reconocimiento, especialmente de un personaje cuya identidad o carácter se desconocía. (Véase «anagnórisis»).

alegoría
Recurso literario consistente en la simbolización de una idea filosófica, religiosa, moral o política por medio de personajes, objetos o eventos. Las partes constitutivas de la alegoría contribuyen interrelacionadamente al sentido de la totalidad. Los personajes suelen tener nombres alegóricos (Justicia, Musa, Pueblo); dicho de otro modo, los objetos o conceptos son personificados. Las alegorías eran frecuentes en el teatro medieval, renacentista y barroco, y más recientemente, en el teatro de revista.

alivio cómico
Escena, situación o parlamento humorístico que tiene el propósito de aliviar la tensión en una tragedia o drama serio.

alta comedia
Forma dramática sentimental y moralizante, propia de la segunda mitad del siglo XIX en España, caracterizada por la ingeniosidad y artificio del diálogo, y dirigida a intranquilizar la conciencia de la sociedad burguesa. Autor representativo de este estilo fue Manuel Tamayo y Baus (1829-1898).

amateur
Aficionado. Que no es remunerado con dinero por su desempeño en un espectáculo teatral. Opuesto a profesional.

ambiental; teatro ambiental

Forma teatral originada en los Estados Unidos en la década de 1960. Llamada en inglés *environmental theater*, se refiere a toda representación que, ejecutada fuera de los edificios de teatro, se realiza «en torno, entre, sobre o bajo los espectadores». Trata de hacer uso de todo el espacio tridimensional disponible; inclusive el del público. Pretende que los objetos y el ambiente natural que rodean al espectador, se conviertan en parte intrínseca del espectáculo. De su esencia es el rechazo a las barreras impuestas por el teatro convencional entre el actor y el espectador, entre el área de actuación y el área destinada al público. (Véase *«happening»*).

anagnórisis

Reconocimiento definitivo, por parte del protagonista, de la naturaleza exacta y de las implicaciones de su situación. Aristóteles aplicó este concepto principalmente al reconocimiento de personas. Para él, la anagnórisis («cambio de ignorancia a conocimiento»), la peripecia y la «calamidad» eran fundamentales en la trama trágica.

analepsis

De uso reciente sobre todo en el análisis de la narrativa, esta palabra de etimología griega alude en el teatro a la retrospección o evocación representada, no narrada, de un evento que tuvo lugar antes del momento de la evocación. Equivale al inglés *flashback*. Es un recurso relativamente moderno. Antes solía conseguirse un efecto semejante, pero menos dramático, a través de la evocación narrada. La técnica opuesta, que anticipa dramáticamente acontecimientos todavía no ocurridos, se llama **prolepsis**.

anfiteatro

Lugar o edificio de forma semicircular cuya gradería en declive circunda al escenario ubicado en la parte baja.

antagonista

Personaje que se opone al protagonista. No todos los dramas tienen un antagonista claramente definido.

ante-escena o ***avant-scène***

Proscenio, o su zona inmediata.

anticlímax

Parte del drama que sigue al clímax. Descenso intencional o imprevisto de un nivel altamente emotivo (clímax) a otro sin interés o ridículo.

antihéroe

Personaje principal carente de las cualidades morales que suelen atribuirse al héroe, tales como fortaleza física y mental, elevación de miras y generosidad. Es un personaje propio de obras picarescas o existencialistas y de farsas.

antropológico; teatro antropológico

1. En términos generales, teatro antropológico es aquél que tiende a valorar lo específico y autóctono de las culturas, inclusive sus ritos, tradiciones y mitologías, y que subraya la relación positiva entre ser humano y naturaleza. Un ejemplo sería *Macunaíma*, obra escenificada en 1979 por Antunes Filho y el grupo Pau-Brasil, basada en la novela de Mario de Andrade, que celebra la imaginación y las raíces indígenas de la cultura brasileña. 2. Más específicamente, se llama teatro antropológico a una serie de técnicas y propuestas teóricas de Eugenio Barba (Italia, 1936) y su teatro-laboratorio Odin Teatret, de Dinamarca, tendientes a promover un «tercer teatro», marginal, ni oficial ni de vanguardia, que busca la «autenticidad» y la lealtad a las raíces culturales propias, lejos de cualquier imposición ideológica. Discípulo de Jerzy Grotowski, Barba valora la expresividad corporal del actor, quien debe encontrar su estilo entre la espontaneidad y la técnica. Aunque controvertido y criticado por su «antropologismo anárquico», Barba ha tenido una considerable resonancia en Europa y América Latina.

apagón

Acotación con que se señala el final de un acto, cuadro o escena. Equivale al antiguo «telón». Este uso se ha hecho frecuente desde que la iluminación eléctrica se utiliza en el teatro con propósitos estructurales, no sólo pragmáticos o decorativos.

aparte

Juego escénico que consiste en un parlamento pronunciado por un personaje, de modo que, convencionalmente, sólo lo oigan los espectadores, mas no los demás que están en escena.

apolíneo

En *El nacimiento de la tragedia* (1872), Friedrich Nietzsche (Alemania, 1844-1900), propone que lo apolíneo y lo dionisíaco son los dos principios que determinan el desarrollo del arte. Lo apolíneo representa lo racional y armónico, en tanto que lo dionisíaco simboliza lo instintivo, pasional y anárquico. En la tragedia, según él, se equilibran esos dos impulsos generadores. Varios autores modernos, como Rodolfo Usigli (México, 1905-1979), se han servido de estas proposiciones del filósofo alemán para desarrollar sus propias teorías.

apoteosis

Escena de gran espectacularidad y fantasía con que suelen concluir las revistas. (Véase «revista»).

apuntador

Persona que ayuda a los actores a recordar el diálogo, leyendo en su libreto con voz opaca no audible para los espectadores. En algunos países se llama «soplador» o «soplón». Hoy en día los directores de las compañías profesionales exigen que los actores aprendan totalmente de memoria sus parlamentos, y por tanto ya no necesitan del apuntador. Antiguamente este individuo se colocaba, oculto para el público, en la **concha del apuntador**, ubicada en la parte media del proscenio.

arco del proscenio

Abertura del escenario a la italiana por la que los espectadores miran la escena. (Véase «proscenio», «teatro a la italiana»).

área de actuación

Zona del escenario o de otro espacio habilitado para el efecto, donde debe representarse la acción dramática. En los espectáculos de teatro callejero, los actores suelen delimitar el área de actuación con marcas *ad hoc* hechas con tiza, cuerdas, etc. Equivale a espacio lúdico. (Véase «espacio»).

arena; teatro arena

Configuración espacial que permite al público ver el espectáculo desde los cuatro costados. También se llama **teatro circular** o **teatro en redondo**. Es la versión moderna del anfiteatro antiguo.

areíto

Forma parateatral de origen americano, vigente antes de la llegada de Colón y durante la Conquista en lo que hoy es la República Dominicana y en otras zonas de Las Antillas, que combinaba baile y canto. Otras formas semejantes eran el **mitote** y el **tocotín** en Las Antillas y Centroamérica, y el **wayno** y el **taqui** en el Perú. La información, muy escasa, que tenemos de esas prácticas teatrales la debemos a referencias pasajeras de algunos cronistas, como Bartolomé de las Casas y Gonzalo Fernández de Oviedo.

argumento

Resumen de la acción dramática sin énfasis en la manera como está estructurada. En su forma más concisa, equivale al asunto o materia de que se trata; así, uno puede decir que tal obra es la historia de una venganza, y tal otra la de un triángulo amoroso. A veces se confunde con trama. (Véase «acción», «tema», «trama»).

aristotélico

Referente a los principios dramáticos propuestos por Aristóteles en su *Poética*. Equivale a la dramaturgia canónica y tradicional, pero realizada con criterios rigurosos. Cuando se habla de una «obra aristotélica», se piensa por lo general en un drama de considerable contenido intelectual, de personajes fuertes aunque no de gran complejidad psicológica, y de una trama sencilla pero de claro desarrollo. En los siglos XVI y XVII se concebía lo aristotélico más bien en términos formales: estructura en cinco actos, respeto a las tres unidades, y separación de tragedia y comedia. En boca de algunos innovadores, como los brechtianos, los adjetivos «aristotélico» y «catártico» han sido francamente peyorativos. Para otros, en cambio, que han tratado de inyectar rigor en el teatro de su medio, como Rodolfo Usigli en el teatro mexicano de su tiempo, «aristotélico» ha tenido un sentido positivo. (Véase «catarsis», «poética», «unidades»).

arlequín

Personaje-tipo de la *Commedia dell'arte* italiana, que vestía un ajustado y colorido traje de rombos, y llevaba el rostro oculto tras un antifaz negro y un bastoncillo en la mano. Actor caracterizado de dicha manera, que hacía papeles cómicos. Arlequín ha sido elevado a símbolo del arte teatral, en especial del teatro popular y alegre. Este tipo de payaso parece satisfacer la necesidad siempre sentida del placer teatral en su manifestación más elemental, pues ha estado presente en todas las épocas y en todas las latitudes. Equivalentes de Arlequín pueden considerarse los mimos de la antigüedad griega y romana, los diablos de los misterios medievales, los bufones del teatro de Shakespeare, el vagabundo (*tramp*) de Charles Chaplin y el «peladito» de Mario Moreno «Cantinflas».

arlequinada

Representación pantomímica en la que Arlequín juega un papel principal. Es uno de varios legados de la *Commedia dell'arte.*

arte escénico

Habilidad en el uso de las técnicas teatrales o escénicas. Corresponde al inglés *stagecraft.* En sentido lato, se utiliza como sinónimo de «teatro», en sus diversas acepciones, inclusive dramaturgia.

Arte nuevo de hacer comedias

En este valioso texto teórico, escrito en verso y publicado en 1609, Lope de Vega y Carpio (España, 1562-1635) trata de explicar el teatro nacional español de su tiempo a la luz de veneradas tradiciones teóricas, como la aristotélica. En él ensalza la tragicomedia como propia de la dramaturgia moderna (la «comedia nueva»), sostiene que es preciso deleitar al público (que es el que paga y hace posible el teatro) y defiende la libertad creadora. Aunque en algunos aspectos, como el principio de la verosimilitud, Lope de Vega sigue a Aristóteles, en lo fundamental hace considerables reajustes a la poética del filósofo griego tal como él la entendía, partiendo de su propia experiencia como dramaturgo, experiencia que estaba fuertemente condicionada por su público relativamente popular.

arte poética
Lo mismo que «poética». Horacio en su *Ars poetica* dio una serie de reglas para la construcción dramática, que fueron de mucho impacto entre los eruditos renacentistas y neoclásicos. Dos de sus principios fueron que la tragedia y la comedia nunca deberían mezclarse en una obra dramática, y que la poesía (la literatura en general) debería servir para instruir y divertir. (Véase «poética»).

astracán o **astracanada**
Comedia bufa, disparatada, cercana a la farsa o al burlesque, sobreactuada con el propósito de halagar al gran público. Es considerado creador del astracán Pedro Muñoz Seca (España, 1881-1936).

atelana
Conocida también como «fábula atelana», era una farsa breve propia de la antigua Roma, de naturaleza grosera, originada en la ciudad de Atella, cerca de Nápoles. Contenía música y danza, y elementos de improvisación en el diálogo y en la acción. Por su temática, su técnica de improvisación, su popularidad, y también por el hecho de que hacía uso de personajes-tipo (Bucco: glotón, Pappus: viejo necio, Maccus: payaso), la atelana puede considerarse una forma precursora de la *Commedia dell'arte.* Junto con el mimo y la pantomima, la atelana constituía una de las manifestaciones teatrales predominantes hacia el comienzo de la era Cristiana. (Véase «mimo», «pantomima»).

attrezzo o **atrecería**
Palabra de origen italiano, que significa el conjunto de útiles que se usan en escena. Es lo mismo que utilería o accesorios. El utilero se llama también **atrecista.**

audición
Actuación breve de un actor o actriz para demostrar su capacidad artística, con miras a ser contratado/a para una producción teatral.

auditorio (Véase «sala»).

auto
Obra dramática breve de carácter alegórico propia de las épocas medieval y renacentista ibéricas. Gil Vicente (Portugal, 1465-1536) compuso varios autos célebres, en español y portugués.

auto sacramental
Obra dramática de carácter alegórico y de tema religioso, común en el Siglo de Oro español y durante la época colonial de América Latina, que se representaba en la fiesta de Corpus Christi. Aunque el propósito de los autos sacramentales era ensalzar el sacramento de la Eucaristía, su temática

podía estar relacionada con cualquier «historia divina» y aun con mitos profanos de la antigüedad. Su escenificación tenía lugar en el interior o en el atrio de las iglesias, y en las plazas públicas. Josef de Valdivielso (España, 1562-1638), Pedro Calderón de la Barca (España, 1600-1681) y Sor Juana Inés de la Cruz (México, 1648-1695), entre muchos otros, escribieron importantes autos sacramentales. Algunos autores modernos han cultivado, con harta libertad, este género (ejemplo: *Las manos de Dios*, de Carlos Solórzano, autor guatemalteco-mexicano, nacido en 1922).

autocensura
Se refiere a la estrategia adoptada por un dramaturgo en su texto con el propósito de evitar que sea prohibido por los censores. En épocas de intolerancia y represión gubernamental, a veces los dramaturgos han logrado evadir la censura recurriendo a tácticas analógicas o metafóricas, desplazando la acción dramática en el tiempo o en el espacio, para aludir indirectamente a situaciones opresivas presentes y locales.

autor virtual
Es la idea o imagen del autor que el lector o espectador infiere del texto o del espectáculo, y de la cual parece emanar la totalidad de dicho texto o espectáculo. Suele llamársele también «autor implícito». A él se le atribuyen características técnicas («maestro del oficio»), estilísticas («escritor realista»), ideológicas («autor progresista»), etc. Usualmente el lector o espectador configura esa imagen del autor por vía intuitiva, aunque es perfectamente posible inferirla partiendo de evidencias específicas tales como la estructuración de la trama (contraste entre la situación dramática inicial y la final, por ejemplo), la caracterización, los comentarios de los personajes corales o la información de las didascalias. Los rasgos distintivos del autor virtual o inferible pueden corresponder o no (por lo general sí corresponden) a los del autor real de carne y hueso. Es al autor virtual, y no al autor real, a quien el lector o espectador tiene acceso a través de la creación artística. A veces el autor real puede ser desconocido, o puede ser no una sino varias personas, como ocurre ocasionalmente en el denominado teatro de creación colectiva. (Véase «lector conjetural»).

bambalina

Franja de tela o papel pintado que cuelga horizontalmente del telar y que constituye parte del decorado. Las bambalinas han sido reemplazadas por cielos rasos lumínicos y otras técnicas en el teatro moderno.

barba

Actor «de carácter» que hacía el papel de viejo o anciano, en el teatro español tradicional.

bastidor

Pieza vertical del decorado, hecha de tiras de madera forrada de tela y pintada. De poco uso hoy en día, sirve para representar los muros de un decorado. **Entre bastidores** es el área no visible para el público, detrás de los bastidores, donde los actores aguardan su entrada a escena, o donde se oculta el apuntador.

bataclán

Forma revisteril frívola, con novedosos números musicales y coreográficos, que llegó a México en 1925 proveniente de París y que provocó toda una «ola bataclánica». Adaptación muy exitosa de ese modelo francés fue *Mexican Rataplán.*

batería

Hilera de luces (o candilejas, en la época preeléctrica) sobre el borde del proscenio que iluminan la escena. **Zona de batería** es la parte del escenario más cercana al telón de boca.

beat

Palabra inglesa con que los directores y actores designan a una unidad rítmica de una obra teatral.

beneficio

Función especial de teatro, generalmente al final de una temporada, realizada para beneficiar económicamente a alguna de las principales figuras de una compañía. La función suele ir acompañada de elogios al actor, actriz o autor homenajeados. Hasta mediados de este siglo, los beneficios contribuían a suplementar de modo considerable los ingresos de la gente de teatro. Esta costumbre ya ha entrado en desuso.

Berliner Ensemble

Institución berlinesa fundada por Bertolt Brecht (Alemania, 1898-1956) y Helena Weigel (Austria, 1900-1971) en 1949. Con esa compañía Brecht puso en práctica sus teorías del teatro épico, montando obras suyas y clásicas. (Véase «épico»).

blocking

Esta palabra inglesa, que se utiliza ya en castellano, se refiere a la diagramación de la posición y de los movimientos de los actores y actrices en el escenario, hecha por el director o por quien haga sus funciones, durante los ensayos o antes. Tal configuración de los comediantes suele hacerse con base en criterios tales como la importancia relativa de las varias zonas escénicas, de modo que el personaje/actor dominante en determinada escena, por ejemplo, ocupe la zona considerada de mayor impacto, que suele ser la de primer plano centro. Los autores con experiencia directorial o actoral suelen incorporar sugerencias para la configuración escénica de los actores, en las acotaciones.

boca escena

Abertura de la pared frontal del escenario, por la cual el público mira la escena. Arco del proscenio.

bufo; teatro bufo

Forma cómico-satírico-lírica de la segunda mitad del siglo XIX propia de España y Cuba principalmente, derivada de la ópera bufa francesa. Un tema favorito del teatro bufo cubano, influido también por los *minstrel shows* de Estados Unidos, fue la sátira de la población negra y mulata. (Véase «ópera bufa»).

bulevardero

Término despectivo para referirse al teatro comercial popular originado en París a fines del siglo XVIII, donde tuvieron su auge la ópera cómica y otras formas populares. (Del francés *boulevard*).

bululú

Actor habilidoso que representa él solo los diversos papeles de una obra dramática. Con su valija de mínimos elementos de vestuario y utilería frente al público, el bululú cambia de rol con gran facilidad. Su existencia en el teatro hispánico data desde la Edad de Oro.

burlesque

Género frívolo y satírico, compuesto de escenas breves, chistes sexuales, canciones y música, originado en Europa a fines del siglo XVIII. Los gestos y movimientos escénicos son sumamente exagerados, de modo que truncan cualquier viso de ilusión dramática. Incluye a menudo el *déshabillé* o *striptease*, en su forma moderna.

café teatro
También llamado **cabaret**, es un café o restaurante donde se ofrecen espectáculos teatrales cortos, a veces improvisados, mientras el público come y bebe. El concepto es semejante al de **café concierto**, sólo que en éste el énfasis está puesto en la música y el canto.

calamidad o **catástrofe**
El sufrimiento o castigo sufrido por el protagonista trágico y que ocurre después de la anagnórisis. Este evento patético puede consistir en una acción destructiva o dolorosa, como la muerte o un sufrimiento excesivo, y está ligado a la purgación de la piedad y el terror del espectador. La peripecia, la anagnórisis y la calamidad constituyen, para Aristóteles, las partes fundamentales de la trama trágica. (Véase *«pathos»*, «tragedia»).

callejero; teatro callejero
Los practicantes de esta modalidad teatral presentan sus espectáculos en plazas, parques, mercados y otros lugares no convencionales, con el ánimo de entretener y estimular a los circunstantes a reflexionar en torno a acontecimientos de actualidad. Sus recuros escénicos favoritos provienen de diversas tradiciones populares, como la *Commedia dell'arte*, el teatro bufo y el circo. En la década de 1960 se clasificó con este nombre *(street theater*, en inglés) a varios grupos de Estados Unidos, entre los cuales destacaron el San Francisco Mime Troupe, dirigido por Ronnie Davis, y el Teatro Campesino, fundado por Luis Valdez.

cámara; teatro de cámara
Escenificación hecha en una sala pequeña, sin la elaboración de una representación formal.

cámara negra
Conjunto de bastidores, bambalinas, telón de fondo o ciclorama de color negro que sirve para escenas simbólicas con base en juegos de luces.

camerino
Habitación junto al escenario, donde se preparan los actores y actrices.

candilejas
Sistema de alumbrado consistente en lamparillas de aceite y de filamentos combustibles que, desde el filo del proscenio, iluminaban a los actores. Ha sido reemplazado por la batería. Con frecuencia se dice candilejas como sinónimo de la profesión de actor y de teatro en general.

canon
La crítica literaria actual utiliza este término para referirse al *corpus* de autores y obras consagrados como centrales por las autoridades académicas.

canovaccio (Véase «*Commedia dell'arte*»).

cantable
Número de revista o zarzuela en que actores y/o tiples cantan. Contraparte del «bailable».

capa y espada (Véase «comedia de capa y espada»).

carácter
Aunque hay ya quienes usan en castellano este término en su sentido inglés de persona ficcional, es preferible mantener la distinción entre carácter y personaje. Carácter es el modo de ser de un personaje, sus rasgos morales y psicológicos, que se manifiestan en sus actos y en sus palabras, y en lo que otros personajes dicen de él, o en la manera como ellos reaccionan ante él. El estudio del carácter de los personajes es la actividad favorita del lector psicologista. (Véase «*ethos*», «personaje» y «dianoia»).

característico/a
Actor o actriz que representaba a viejos o matronas cómicos, en la escuela escénica española tradicional. (Véase «caracterizar»).

caracterizar
1. Asignar el autor ciertos rasgos físicos, psicológicos y morales a los personajes de su obra. 2. Representar un actor o una actriz su papel en forma expresiva. 3. En la escuela escénica española tradicional, caracterizar significaba maquillar al actor o actriz con canas y arrugas para que representara la edad avanzada de su personaje. (Véase «característico»).

carnaval
El carnaval puede considerarse una forma semi teatral en la medida en que contiene varios elementos que se consideran parte fundamental del espectáculo teatral convencional, tales como la representación de papeles o roles, y el vestuario y el maquillaje diseñados en función de esos papeles asumidos. Las máscaras, la música y el baile suelen ser también parte importante del carnaval. En la mayoría de los casos, el lenguaje gestual ha desplazado o minimizado el lenguaje verbal, aunque en algunos, como en el carnaval de Galicia llamado *entroido*, la recitación tiene cierta preeminencia. El carnaval adquiere formas peculiares según la localidad en que se celebra, y puede comprender desde improvisaciones más o menos inconexas, como sucede en la villa gallega de Laza, hasta desfiles cuidadosamente coreografiados, de gran esplendor e interés turístico, como ocurre en Río de Janeiro, Veracruz o Tenerife. Lo más distintivo del carnaval es

el ambiente jocundo y extravagante y la intención paródica. Las víctimas de la ridiculización en estos eventos en que se suspenden las normas convencionales de convivencia, suelen ser personalidades de la política, la Iglesia y la «alta sociedad». El carnaval se celebra en los días inmediatamente anteriores al Miércoles de Ceniza, que da comienzo a la Cuaresma cristiana, pero tiene evidentes vestigios rituales paganos.

carpa; teatro de carpa

Espectáculos teatrales presentados en carpas o tiendas como de circo en México y en el Suroeste estadounidense a comienzos del siglo XX. Dichos espectáculos tenían lugar en barrios populares. Esas carpas teatrales eran estructuras rectangulares con paredes de madera, cubiertas por toldos, con un estrado escénico relativamente pequeño y una sala con bancas toscas con capacidad para menos de 200 personas (v. gr., la Carpa Ofelia, de la Ciudad de México). Eran fáciles de montar y desmontar, de modo que una empresa teatral podía llevar su espectáculo, con tienda y todo, a diversos lugares, como ocurría con algunas compañías que operaban en las poblaciones hispanas de Estados Unidos, que eran exclusivamente itinerantes; en cambio, varias carpas de la capital mexicana eran fijas. El repertorio típico del teatro de carpa se componía de obras del «género chico», que se ofrecían con el sistema de tandas. Con frecuencia, las obras propiamente teatrales eran acompañadas de números de acrobacia y otras atracciones propias del circo. En la actualidad el espectáculo de carpa sobrevive apenas a manera de proyecto experimental, como el de la Carpa Geodésica, en la Ciudad de México. Actores importantes, como Mario Moreno «Cantinflas» (México, 1911-1993), surgieron de esas tiendas teatrales. (Véase «género chico», «tandas»).

cartelera

Lista de representaciones o espectáculos teatrales. Sección de los periódicos en que se anuncian los espectáculos. Se dice que una obra «está en cartelera» cuando está siendo representada en una localidad.

catalizador o **agente catalítico**

Personaje cuya función es introducir un cambio en una situación inicial estable y así principiar el desarrollo del conflicto dramático.

catarsis

Término utilizado por Aristóteles en su teoría de la tragedia, que puede entenderse como la purgación que padece el espectador de la compasión y el temor que siente ante el destino del protagonista trágico. Esas dos emociones, en las que insiste el filósofo griego, son primero estimuladas por la acción trágica y por fin desechadas por parte del espectador; esto sería lo que le permite al espectador permanecer pasivo ante el personaje objeto de esas emociones y en última instancia distanciarse de él. Esta es una de varias interpretaciones de este controvertido concepto que queda sin elaborar en la *Poética* aristotélica. Hay críticos que proponen que el efecto catártico es propio de toda obra dramática, no sólo de la tragedia, y que puede involucrar otras emociones. Muchos miran la catarsis como un efecto integrador y positivo que en definitiva alivia al espectador, en tanto que algunos teóricos, como Augusto Boal, creen que la catarsis es un mecanismo opresivo porque implica una resignación del ser humano a las condiciones bajo las que debe vivir y una reafirmación de los valores sociales establecidos. (Véase «oprimido»).

catástrofe
1. Desgracia terrible que sufre el héroe trágico. 2. Parte final de la tragedia, con que termina la «acción descendente», en la teoría de Gustav Freytag (Alemania, 1816-1895). (Véase «estructura dramática»).

cazuela (Véase «corral»).

censura
A través de la historia, y en todas las latitudes, el teatro ha sido objeto de prohibiciones y condenas por parte de las autoridades, en protección de ciertos valores morales, religiosos, ideológicos o políticos. En épocas recientes, la censura ha sido bastante sistemática en sociedades regidas por dictaduras militares, tanto en España como en América Latina. El censor puede ejercer sus atribuciones suprimiendo partes del texto dramático o prohibiendo ciertas escenas durante los ensayos, o aun vedando un texto en su totalidad, clausurando un espectáculo o cerrando un teatro, según el grado de control de los poderes represivos y también según el margen de tolerancia de una determinada sociedad. Uno de los fenómenos más insidiosos de la censura es la **autocensura**, mediante la cual los artistas del teatro idean maneras de evitar que su producto sea prohibido, ya sea eliminando de antemano cualquier elemento que pudiera resultar objetable al censor, ya encubriéndolo en un lenguaje metafórico o analógico.

ciclorama
Cortina o lienzo curvo de gran altura que cubre toda la pared del fondo del escenario y parte de los lados. Generalmente no se considera parte del decorado.

cinética o **quinésica**
Aplicada al teatro, es la técnica de los movimientos en el escenario en cuanto vehículos de comunicación, y sus reglas. Abarca los gestos faciales, los movimientos de la cabeza, las manos y el cuerpo en general. En la pantomima la expresión corporal constituye el modo fundamental de comunicación, mientras que en los espectáculos convencionales está íntimamente ligada a la expresión verbal. La ciencia de los movimientos

corporales fue sistematizada por el antropólogo Ray L. Birdwhistell, y ha sido aplicada al teatro por varios estudiosos. (Véase «*blocking*», «proxémica»).

claque

Grupo de espectadores contratados por una compañía o por algún actor para aplaudir durante el espectáculo y crear la impresión de una recepción muy entusiasta por parte del público. Esta práctica ha caído ya en desuso.

clímax

Momento de gran excitación emocional o sensorial para el lector/espectador en una obra, acto o escena. Casi siempre ocurre hacia el final. Se lo conoce también con el nombre de **pico emotivo**. En la tragedia, el pico emotivo está dado por el sufrimiento/castigo final del héroe, tal la imagen lastimera del rey Edipo después de haberse clavado los ojos, en la obra de Sófocles (Grecia, 496-406 a. C.), o los preparativos aterradores para el suicidio que hace Don Zoilo en *Barranca abajo*, de Florencio Sánchez (Uruguay, 1875-1910). En ciertas obras líricas, como la revista, el clímax se da en forma de un gran despliegue visual conocido como «apoteosis».

A veces el clímax concurre con la crisis, lo cual ha ocasionado que algunos confundan los dos términos. Tanto el clímax como la crisis son momentos ansiosamente esperados por el lector o espectador, en razón de su experiencia teatral y, sobre todo, de la manera como el dramaturgo ha estructurado la trama. Esa anticipación contribuye fuertemente al envolvimiento del lector/espectador en la acción dramática, pues la mera anticipación es ya fuente de placer. Esto ocurre generalmente en las obras de estructura convencional, no en las del llamado teatro épico. (Véase «crisis», «empatía»).

cocoliche

En el sainete criollo rioplatense, se refiere al inmigrante, generalmente italiano, y a su dialecto, que mezcla español e italiano.

código

Códigos son las reglas compartidas por los miembros de una comunidad que hacen comprensibles los signos con que se comunican. Hay códigos dramáticos y códigos teatrales o escénicos, que se fundamentan en códigos culturales más generales, tales como la lengua, el vestido, la gesticulación, etc. Keir Elam ha elaborado un minucioso cuadro de la gran variedad de códigos y subcódigos operativos en el teatro, entre los cuales podemos mencionar los siguientes: códigos quinésicos (de movimiento), proxémicos (espaciales), vestimentarios, cosméticos, pictóricos, musicales, arquitectónicos, dialectales, paralingüísticos, intertextuales, genéricos, de verosimilitud, epistémicos (organización conceptual del mundo), estéticos, lógicos, morales, ideológicos (inclusive los políticos), psicológicos, etc. Como ha hecho notar Terry Eagleton, una obra literaria no sólo confirma códigos, también puede transgredirlos o crearlos; esto ocurre en las obras experimentales, cuyos autores se deleitan en la innovación o en la transgresión.

coloquio
Pieza alegórica breve, sobre asuntos sacros o profanos, característica de la época renacentista en España e Hispanoamérica.

collage
Obra compuesta por elementos temáticos, lingüísticos o escénicos muy disímiles.

comedia
El término tiene dos acepciones principales. 1. Obra dramática de situaciones, personajes o lenguaje ligeros y desenlace feliz. Su propósito principal es provocar la risa del lector/espectador, o más exactamente provocar un estado de regocijo y relajación con el que están asociadas la risa y la sonrisa, a través de una gran variedad de recursos: de allí también la considerable variedad de subgéneros de la comedia. El personaje cómico está en relación de inferioridad con el lector/espectador, y los apuros en que se encuentra o no son graves o son merecidos. La comedia propende a criticar o ridiculizar los errores y vicios sociales, y a ensalzar la virtud y felicidad humanas. Modelos del género son las comedias de Leandro Fernández de Moratín (España, 1760-1828), notables por la feliz combinación de sátira de costumbres, propiedad de estilo y estructura de corte neoclásico (incluidas las unidades de acción, lugar y tiempo).

2. Aplicada al teatro del Siglo de Oro español, «comedia» es la denominación genérica con que la crítica se refiere a una obra seria o tragicómica, dividida en tres jornadas (o actos), escrita casi siempre en verso, que trata generalmente temas de pundonor, amor y política. Por su intención, asunto o recursos, la «comedia» clásica española puede subdividirse en comedia de enredo o intriga, comedia de carácter, comedia de figurón, comedia de capa y espada, etc. El vocablo «comedia» todavía conserva esta acepción genérica, como en el nombre de una institución sudamericana, la Comedia Nacional del Uruguay, que escenifica una gran variedad de obras dramáticas, y no sólo «comedias» en sentido estricto.

comedia bufa (Véase «bufo»).

comedia de capa y espada
Obra dramática de amor, intriga y duelos propia de la Edad de Oro española. Descolló en este género Lope de Vega (muestra sobresaliente: *La dama boba*).

comedia de carácter
También llamada comedia de caracteres, es la comedia que subraya la caracterización de los personajes principales. Ejemplo de indudable interés es *La verdad sospechosa*, de Juan Ruiz de Alarcón (México-España, 1581-1639), cuyo protagonista está caracterizado como un artista de la mentira.

comedia de costumbres
Tipo de comedia sobre usos y costumbres actuales en que destaca la ingeniosidad del diálogo.

comedia de enredo
Comedia de intriga y equívocos, como *Los empeños de una casa*, de Sor Juana Inés de la Cruz (México, 1651-1695).

comedia de figurón
Comedia cuyo énfasis está en la caracterización de un protagonista extravagante o ridículo, propia del Siglo de Oro español, v. gr., *Entre bobos anda el juego,* de Francisco de Rojas Zorrilla (España, 1607-1648).

comedia de situación
Término del teatro y de la televisión estadounidense que designa un tipo de comedia cuyo interés radica, no en la caracterización, sino en el ingenio de la trama en un contexto de situaciones ridículas o grotescas. En inglés se la conoce como *sitcom* (de *situation comedy*).

comedia musical
Espectáculo ligero, común en Estados Unidos, que consta de música, canciones y danza, además de diálogo y una trama somera. La coreografía es un elemento importante de la comedia musical. Su escenificación suele ser muy elaborada y costosa. Algunas de las comedias musicales de mayor éxito en Broadway, como *El hombre de la Mancha* o *Cats,* han sido «exportadas» a varios países hispanos, para ser escenificadas en español y con actores locales, pero según las rigurosas instrucciones de un *kit.*

comedia negra (Véase «humor negro»).

comediante
Antiguamente se solía distinguir entre comediante y tragediante. Hoy se llama comediante al actor o actriz que desempeña cualquier papel dramático, trágico o cómico.

cómico
1. Relativo a la comedia (en el sentido de obra divertida). 2. Comediante.

cómicos de la legua
Los comediantes que viajaban de pueblo en pueblo haciendo teatro.

commedia dell'arte

Forma popular de comedia improvisada que apareció en Italia en el siglo XVI, se difundió por toda Europa y perduró hasta el siglo XVIII. Los profesionales de la *Commedia dell'arte* improvisaban el diálogo y desarrollaban las complicaciones de la acción a partir de *scenarios* o *canovaccios* —es decir esquemas de tramas, que señalaban la acción principal y el final— y de personajes pre-establecidos. Los personajes principales eran Arlequín (sirviente, payaso), Colombina (joven enamorada), Pantalone (comerciante viejo, avaro, padre o pretendiente de alguna jovencita), Capitano (*miles gloriosus*, soldado fanfarrón), Dottore (abogado pedante, a veces pretendiente de una muchacha), que aparecían en todos los espectáculos de una compañía, representados por los mismos actores y actrices, en ferias, plazas y eventualmente también en la corte y en teatros convencionales. Los papeles cómicos principales eran los de los sirvientes o *zanni*, los más famosos de los cuales eran Arlequín, Pulcinello, Brighella y Scaramouche. El fundamento de esta forma teatral eran sin lugar a dudas los actores y actrices, que, aunque improvisaban, tenían un gran dominio del oficio (por eso se llamaban actores *dell'arte*, es decir profesionales). La *Commedia dell'arte* se oponía a la *commedia erudita* o cortesana. La *Commedia dell'arte* ha tenido notable influencia en el teatro moderno.

comodín; **sistema comodín** o **sistema coringa**

El sistema comodín (*coringa*, en portugués; *joker*, en inglés) es un método de interpretación escénica que forma parte del «teatro del oprimido» de Augusto Boal (Brasil, 1931). Partiendo de un principio radicalmente antistanislavskiano, cual es la no identificación entre actor y personaje, esta modalidad teatral permite que un actor o actriz (el comodín) represente varios papeles, ya sea el del narrador/maestro de ceremonias/conferencista/guía de navegación (que es su papel principal), ya sea partes del papel del protagonista o de un personaje secundario. El actor comodín es una especie de corifeo omnisciente con poderes omnímodos, que es capaz de parar la acción en cualquier momento, analizar una escena, rehacerla, cuestionar a un personaje, interpelar al público, etc. Es una figura fundamentalmente «dianoética» y razonadora. Aparte del comodín y de los otros actores, que representan sus papeles «convencionalmente», el sistema hace uso de coros. La meta del sistema comodín es representar una obra y al mismo tiempo analizarla ante y con el público. (Véase «oprimido», «Teatro Arena»).

compañía de repertorio

Grupo de teatro que tiene preparados varios dramas para representarlos en el orden y momento que sea necesario y oportuno.

comparsa

Figurante secundario que está en escena pero que no tiene parlamentos que decir. Grupo de tales figurantes. Su única función es acompañar, crear un ambiente social.

competencia

Es el conocimiento de las reglas y convenciones (códigos) en juego que hacen posible la comunicación dramática o teatral. Según la perspectiva del que juzga, esos códigos pueden ser muy especiales y accesibles sólo a un número reducido de personas (que es la premisa de los defensores del teatro como un arte refinado y sagrado), o por el contrario bastante elementales y a disposición de todo el mundo (como sostienen los promotores del teatro popular). (Véase «código»).

compositor

También llamado «maestro», es el autor de la música en las obras de teatro lírico.

concha del apuntador

Cavidad en forma de concha ubicada en el centro del proscenio y orientada hacia la escena, donde se colocaba el apuntador para ayudar a los actores a recordar sus parlamentos. Ahora prácticamente ha desaparecido esa concha, aunque no el apuntador, quien se sitúa entre bastidores.

confidente

Personaje secundario de confianza, que aconseja al protagonista o recibe sus confidencias. Este recurso permite al protagonista dar a conocer sus pensamientos, sin recurrir al soliloquio. El gracioso de la comedia española clásica es un tipo de confidente.

conflicto

Tensión entre los personajes o fuerzas en pugna. Con frecuencia se ha argüido que el conflicto es el elemento indispensable de todo drama. El conflicto puede darse entre el protagonista y otro personaje, entre el protagonista y fuerzas de la naturaleza, sociales o sobrenaturales, o entre aspectos conflictivos del propio protagonista. Enrique Buenaventura sostiene que el análisis textual debe considerar las fuerzas en pugna (representadas por los personajes en conflicto) y los intereses específicos que las motivan. El modelo de análisis de Buenaventura tiende a destacar la dimensión social de la acción dramática. (Véase «actante»).

congelar

Vocablo que alude al artificio según el cual los actores, al final de la representación, permanecen «congelados» en su última posición, con el fin de recibir así el primer aplauso.

conmiseración y **temor**

Son las emociones objeto de la catarsis en la tragedia, según Aristóteles. En su *Poética* (capítulo XIII) dice que la tragedia «debe representar acciones capaces de despertar temor y conmiseración» y que «se tiene conmiseración del que padece no mereciéndolo, y el temor es de ver el infortunio en alguien semejante a nosotros». (Véase «catarsis»).

contrato teatral (Véase «pacto teatral»).

convención

Convenciones o códigos son las reglas compartidas, aunque sea intuitivamente, entre el dramaturgo, los actores y el público, que gobiernan la estructuración y la comprensión del texto dramático y del espectáculo teatral. Por ejemplo, el espectador acepta de buena gana la representación de un lugar, como si fuera el lugar mismo, o el recurso del «aparte», que implica que lo que dice un personaje es audible para el público, pero no para los otros personajes. Cada cultura y cada época tienen sus convenciones.

corbata

Proscenio.

coreografía

El diseño de la danza y su creación en el escenario.

coreuta

Entre los griegos antiguos, miembro del coro.

corifeo

Jefe del coro, entre los griegos antiguos.

corista

En el teatro moderno, persona que forma parte del coro. Cantante, en el teatro lírico.

coro

1. Conjunto de actores o actrices que hablan o cantan al unísono. 2. También el texto dialogado o cantado de esos actores. 3. En la tragedia griega, el coro estaba constituido por un grupo de actores llamados coreutas, que cantaban las odas corales, a la vez que danzaban, en el área central de actuación denominada orquesta. El jefe del coro era el corifeo, a cuyo cargo estaba la parte dialogada del texto coral. El coro era algo así como un personaje colectivo, que intercambiaba parlamentos con el protagonista y otros personajes, pero era un personaje de naturaleza más bien pasiva y marginal. El coro tenía varias funciones: comentar la acción dramática desde un punto de vista filosófico o moral, narrar acontecimientos no desarrollados en escena, o hacerse eco amplificado de los afectos

y pensamientos de los personajes. Puede afirmarse también que el coro constituía un vestigio ritual de las celebraciones dionisíacas, en las que se supone que se originó el teatro griego y por consiguiente el teatro occidental. Existe la noción de que el coro era una especie de *alter ego* del público, o del «espectador ideal», pero parece más plausible ver al coro griego como la encarnación de la voz autorial (y la del grupo social representado por el autor), en la medida en que se ocupaba de aclarar o subrayar la lección moral o ideológica de la obra.

En épocas modernas, el coro ha tenido reencarnaciones interesantes, como en el teatro épico de Brecht, en cuya obra *El círculo de tiza caucasiano*, por ejemplo, un personaje llamado Cantor cumple con esas funciones líricas, narrativas e ideológicas del antiguo coro, al igual que el Cancionero en *El extensionista*, de Felipe Santander (México, 1934). Una derivación aún más interesante y audaz, desde una perspectiva formal e ideológica, puede considerarse el personaje plurifuncional llamado Comodín en una de las formas del teatro del oprimido desarrollado por Augusto Boal. (Véase «comodín», «personaje coral»).

corral

Patio, casa o teatro donde antiguamente se representaban obras dramáticas, en España e Hispanoamérica. Durante la Edad de Oro española, los corrales (ejemplos: el Corral de la Cruz, 1579, o el del Príncipe, 1582, ambos de Madrid) eran patios sin techo circundados por casas de varios pisos, que tenían en un costado una tarima donde se realizaba el espectáculo. El escenario, cubierto por un toldo o tejadillo, se proyectaba hacia el patio, y parece ser que en la parte posterior del mismo había otro espacio escénico menor, un escenario interior, para escenas especiales, que se hacía visible al público descorriendo un telón. Para la simbolización del lugar de la acción dramática, el decorado tenía menos importancia que en la actualidad, y solía ser bastante sencillo. Cobraban más significación, en cambio, el vestuario (con el que se sugería un ámbito palaciego, campesino, etc.) y lo que se ha denominado «escenografía acústica», es decir las detalladas referencias topográficas del diálogo. Las representaciones se hacían en un principio a la luz del día, por la tarde, por lo cual no se planteaba el problema de la iluminación. Posteriormente el uso de velas y candiles hizo posibles las funciones nocturnas.

El público se colocaba, según su rango social y sexo, en el patio o en los corredores y balcones de los edificios colindantes. En el patio central y en los corredores laterales bajos se situaban los hombres, muchos de los cuales debían ver la representación de pie; en la **cazuela**, que eran las galerías del segundo piso frente al escenario, las mujeres; y en la **tertulia**, o sea las galerías más altas, sobre la cazuela, los espectadores de menos recursos; había también unos balcones cubiertos de rejas, denominados

aposentos, desde donde miraban el espectáculo caballeros y damas de la nobleza.

costumbrismo

Modalidad dramática que sustenta su interés en la pintura de tipos humanos, ambientes y rasgos lingüísticos propios de una región. A veces lo costumbrista puede ser sólo un elemento del atractivo de una obra.

coturno

Calzado de suela sumamente gruesa que, con objeto de parecer más altos, se presume que usaban en las tragedias los actores antiguos, y que para disimularlo hacían que el traje llegase hasta el suelo cubriendo los pies. Pleonásticamente, se dice «alto coturno» para designar categoría trágica o elevada. Los actores de comedias, en contraposición, se dice que calzaban **zuecos**, que eran una forma de calzado más bajo, ligero y suave.

creación colectiva

Método de trabajo, particularmente entre los teatros independientes y experimentales, que consiste en una labor de conjunto en la que el director participa apenas o no interviene en absoluto. El término puede aplicarse a la puesta en escena solamente, o puede abarcar también la elaboración del texto y aun ciertas investigaciones previas a la elaboración del texto. Los principales cultivadores y diseminadores de este método en Sudamérica han sido los colombianos Enrique Buenaventura (1925) y Santiago García (1929). En un sentido más amplio, la creación colectiva es característica de toda producción teatral, pues en ella colaboran muchas personas con funciones diversas.

crisis

Momento crítico o punto culminante de la acción, que precede inmediatamente al desenlace. Este punto de la estructura dramática es crítico porque a partir de entonces la acción se encamina claramente hacia su resolución final. Se conoce también como **punto de giro** (del inglés *turning point*). Aunque en una obra dramática puede haber varias crisis, se suele reservar esta denominación para la crisis más sobresaliente, aquí definida. En los dramas en que hay un importante conflicto interpersonal, la crisis suele consistir en el enfrentamiento final entre el protagonista y su antagonista, como ocurre, digamos, en el esperado encuentro entre César Rubio y Navarro, en *El gesticulador* de Rodolfo Usigli.

crueldad; teatro de la crueldad

Estilo derivado de los manifiestos del surrealista francés Antonin Artaud (1896-1948), quien en su libro *El teatro y su doble* (1938) postula que el teatro debe actuar catalíticamente, como una plaga, para liberar al hombre de los frenos de la moral y de la racionalidad, permitiéndole retornar a un estado primitivo de ferocidad, de fuerza bruta y de belleza mágica. Impresionado por las danzas balinesas, Artaud buscaba un teatro más gestual y quinésico que verbal, que apelara sobre todo a los sentidos y que provocara en el espectador reacciones de incomodidad, sorpresa, repugnancia, éxtasis y, en última instancia, también alivio. Aunque sus pocos proyectos del teatro de la crueldad fueron un fracaso, sus teorías han inspirado a directores como Peter Brook (Inglaterra, 1925) y Jerzy Grotowski (Polonia, 1933), y a dramaturgos tales como Jean Genet (Francia, 1910-1986), Griselda Gambaro (Argentina, 1928) y Eduardo Pavlovsky (Argentina, 1934), algunas de cuyas obras sitúan la acción en lugares donde impera la violencia o lo grotesco: cárceles, prostíbulos, cámaras de tortura, campos de concentración, manicomios.

cuadro

Acto corto o subdivisión de un acto. Segmento de acción continua en un mismo lugar. Cada nuevo cuadro de una obra implica un cambio de escenografía.

cuarta pared

En las escenificaciones realistas modernas en teatros a la italiana, la cuarta pared es la línea imaginaria que complementa las tres paredes del espacio donde se realiza la acción dramática. Los actores desempeñan sus papeles sin reconocer la presencia del público, el cual, por consiguiente, observa la acción de una manera subrepticia, voyerística. La cuarta pared ha sido objeto de interesantes transgresiones experimentales en el teatro contemporáneo.

cupletista

Actriz que canta «cuplés», es decir coplas y cancioncillas. (Del francés *couplet*).

Ch

chicano; teatro chicano

Movimiento de teatro estadounidense iniciado en 1965 con la representación de varios **actos** de Luis Valdez (Estados Unidos, 1940) por el Teatro Campesino en la comunidad rural de Delano en California. En los primeros años, la actividad del Teatro Campesino estuvo vinculada al llamado «boicot de la uva» dirigido por César Chávez (1927-1993), fundador del sindicato United Farm Workers. En la actualidad, el Teatro Campesino se ha convertido en una institución multifacética, que ha entrado también en la rama del cine (*Zoot Suit*), y que tiene su centro de operaciones en la pequeña ciudad californiana de San Juan Bautista. Aparte de las obras satíricas breves denominadas *actos* (*Las dos caras del patroncito* es quizás el mejor conocido), el Teatro Campesino ha utilizado otras formas dramáticas, como el **mito** (*Bernabé*, por ejemplo), que se nutre de los legados simbólicos aztecas y mayas, y el **corrido** (*De colores* es una buena muestra), en que predomina el elemento musical de origen mexicano (más reciente) y español. El desarrollo del corrido como forma dramática a partir del género musical de ese nombre se debe quizás a que formaban parte del Teatro Campesino dos importantes «corridistas»: Daniel Valdez y Agustín Lira.

En la década de 1970 surgieron numerosos grupos en las comunidades chicanas de California, Arizona, Texas y otros estados (ejemplos: el Teatro de la Esperanza, en Santa Bárbara; el Teatro Movimiento Primavera, en Los Angeles; el Teatro Chicano de Austin, en Texas; el Teatro Alma Latina, en Nueva Jersey), que organizaron una red nacional de grupos, celebraron festivales de teatro, auspiciados por TENAZ (Teatro Nacional de Aztlán), y formaron un auténtico movimiento cultural de hondas repercusiones en el ámbito hispano norteamericano. Hoy se siguen realizando festivales de teatro chicano en diversas regiones del país, aunque el movimiento no tiene la energía ni las dimensiones de décadas pasadas. A partir de los años setenta, varios colectivos chicanos entablaron vínculos con grupos sudamericanos (como el Teatro Experimental de Cali), lo cual incidió en su enriquecimiento mutuo.

La función de este movimiento en la definición de la identidad del chicano y otras contribuciones artísticas y culturales han sido ampliamente reconocidas en numerosas publicaciones de carácter histórico y crítico, y constituyen hoy en día materia de estudio especializado en Departamentos de teatro y literatura en varias universidades de Estados Unidos. Entre los rasgos característicos fundamentales de la dramaturgia chicana, cabe mencionar el uso de la sátira, de canciones (sobre todo corridos) y del *Spanglish* (forma lingüística que incorpora elementos léxicos del inglés, pero que mantiene la base sintáctica castellana), y una temática que atañe directamente a la realidad socioeconómica, política y cultural de la marginada población de origen mexicano, tal la lealtad cultural, la tensión intergeneracional, la discriminación rampante contra el mexicano, los abusos de las autoridades de inmigración, etc. (Véase «acto»).

dama joven
En la escuela española tradicional, actriz que representa exclusivamente papeles de mujer joven.

danza tradicional
Baile grupal que se realiza en comunidades rurales, ajustándose casi siempre a un calendario religioso, y que combina actuación, coreografía, vestuario, música y poesía. Su motivación es ritual, y es de carácter religioso o mágico. Quienes participan en la danza tradicional lo hacen en cumplimiento de promesas religiosas o con el fin de buscar bienes (como una buena cosecha) para su comunidad. Toda danza tradicional tiene un argumento, por simple que sea, que suele incluir personajes representativos del bien y del mal. Parte importante de la caracterización de esos personajes es la máscara. Ejemplos de danzas tradicionales en diversas zonas rurales de México son la Danza de los Tecuanes, la de los Matachines y la de Moros y Cristianos.

decorado
Conjunto de escenografía, utilería, objetos, mobiliario y cortinas, cuya función es representar un local determinado o crear una imagen visual o un ambiente.

decorado abstracto
Escenografía que no intenta representar figuras o escenas de la vida real, sino crear ambientes especiales mediante trazos geométricos y otros recursos semejantes.

decorado acústico
Se habla de «decorado verbal» o «acústico» cuando un personaje traza con palabras un lugar donde ha ocurrido u ocurre alguna acción.

decorado simultáneo
Escenografía que representa dos o más lugares distintos donde se realizan a la vez diferentes acciones dramáticas. En el teatro medieval litúrgico, las diversas **mansiones** que se armaban en el interior de la iglesia para las escenificaciones, constituían un decorado simultáneo.

decorador
Persona encargada de diseñar o realizar el decorado. (Véase «diseñador»).

decoro (Véase «propiedad»).

deíxis

Este vocablo de uso moderno y derivado de una palabra griega que significa «mostrar» o «apuntar a», es definido por el semiótico Keir Elam como «las referencias a sí mismos por parte de los hablantes, como hablantes, a sus interlocutores como escuchas-destinatarios, y a las coordenadas espacio-temporales (el aquí-y-ahora) de la enunciación, por medio de elementos deícticos tales como pronombres demostrativos y adverbios espaciales y temporales». El carácter deíctico es fundamental en el diálogo dramático, por su función creadora del contexto comunicativo. En el texto dramático hay incesantes referencias a los sujetos de los parlamentos, a los interlocutores y al contexto de la enunciación. Aunque la deíxis se da también en otros géneros literarios, en ninguno es su presencia tan copiosa como en el drama. (Véase «lenguaje dramático»).

derecha e **izquierda**

En las acotaciones, estas referencias aluden siempre a los lados derecho e izquierdo del actor, y no a los del público, a no ser que explícitamente se indique lo contrario.

desarrollo

Parte de la acción dramática que sigue a la presentación y precede al desenlace. En las obras de intriga, el desarrollo se denomina enredo. Hablando con más precisión, el desarrollo comienza en el «momento incitante» y termina en la crisis. (Véase «nudo»).

desenlace

Momento de la acción en que se «desenlaza» o desata el nudo. El desenlace principia inmediatamente después de la crisis. El término francés equivalente es *dénouement*, y el inglés (que sigue a Freytag), *falling action.*

desfamiliarización

Recurso por el cual se convierte lo conocido en algo no familiar, inesperado, desautomatizado, y por tanto observable con cierto desapego y objetividad. El término deriva de un concepto de los formalistas rusos conocido como *ostranenie*, «hacer extraño». Formas de desfamiliarización en el teatro son el metadrama y algunas de las técnicas distanciadoras del teatro épico de Brecht.

deus ex machina

Esta expresión latina significa literalmente «dios que desciende de una máquina». Se refería originalmente a la llegada de una figura celestial al escenario por medio de una grúa, en el teatro griego; la presencia del dios determinaba un fin feliz en la acción dramática. Hoy el término alude a un recurso arbitrario y poco convincente que ocasiona una solución repentina a una situación difícil. Este procedimiento sigue usándose en la comedia, el melodrama y las telenovelas.

deuteragonista

El segundo actor, en el teatro griego clásico.

diablas

Baterías de luces ocultas tras las bambalinas.

diálogo

Conversación, parlamentos que intercambian los personajes. Incluye también los «monólogos». El diálogo es la forma de expresión propia del género dramático, el cual presenta a los personajes comunicándose directamente, sin mediación de un narrador (salvo ciertos experimentos que no hacen sino confirmar la regla). Con el diálogo se desarrolla la acción, por el diálogo conocemos a los personajes, por su fuerza inherente sufrimos o nos alegramos. (Véase «acotación», «lenguaje dramático»).

dianoia

De acuerdo a la *Poética* de Aristóteles, la dianoia (de una palabra griega que significa «pensamiento» es uno de los seis elementos que componen la tragedia, junto con la trama (*mythos*), los personajes (*ethe*), la dicción (*lexis*), la melodía o canto (*melopeia*) y el espectáculo (*opsis*). Según él, la dianoia está constituida por las opiniones generales expresadas por el personaje, y son la dianoia y el carácter (*ethos*) las «causas naturales» de la acción dramática. Hoy dianoia puede entenderse como la organización conceptual del mundo, y aun como la propuesta ideológica, manifestada por los personajes y por la estructura de la acción dramática. Aunque en teoría toda obra tiene elementos dianoéticos, de hecho hay un sinnúmero de dramas virtualmente vacíos de contenido ideológico, que se sustentan únicamente en acciones físicas. Por el contrario, existen obras excesivamente dianoéticas, que es el caso de las obras didácticas, que privilegian la transmisión de ciertas ideas a costa de los recursos estéticos más básicos. Para el público habitual de teatro, los dramas más interesantes y enriquecedores son aquéllos que entregan su propuesta ideológica (que puede tener una diversa coloración política) implícita en la acción dramática misma, y no superpuesta a ella o al margen de ella. Los dos polos fundamentales entre los cuales puede darse una considerable variedad de matices dianoéticos son una visión crítica y una visión complaciente sobre el asunto o problema tratado.

dicción

Las palabras dichas por los personajes, y la manera de decirlas. En la teoría poética de Aristóteles, la dicción es uno de los seis elementos constitutivos de la tragedia.

didáctico
Suele decirse que una obra es didáctica si subraya el contenido ideológico (de cualquier orientación) sobre los recursos artísticos.

didascalia
Vocablo de etimología griega, que significa «instrucción», y que recientemente se utiliza en los estudios literarios para referirse a la acotación o instrucción escénica del texto dramático. En un sentido amplio, comprende todo lo que no sea diálogo, inclusive los nombres de los personajes que preceden a cada parlamento, la lista inicial de los *dramatis personae*, y la palabra «telón» para indicar la conclusión de un acto o de la obra. Marvin Carlson distingue las siguientes categorías didascálicas: didascalias de atribución, que identifican al personaje que habla, y que preceden al parlamento; didascalias estructurales, que dividen la obra en actos, cuadros o escenas; didascalias topográficas, con que se describe el lugar de la acción; didascalias descriptivas de los personajes, que suelen darse cuando un personaje aparece por primera vez; y una serie de didascalias más técnicas que tienen que ver con movimientos de actores, efectos de sonido, iluminación, etc. (Véase «acotación»).

dionisíaco (Véase «apolíneo»).

Dionisio o **Dioniso**
Dios del vino entre los griegos, equivalente al dios Baco de los romanos. Se supone que en las orgías y festividades celebradas en su honor se originó el teatro occidental.

director
Persona responsable por la puesta en escena de un drama, generalmente sólo desde el punto de vista artístico y técnico, en oposición al aspecto administrativo y económico. Partiendo de un texto dramático, y siéndole más o menos fiel, el director orienta a los actores y actrices en la interpretación de sus papeles, a través de una serie de ensayos, a la vez que consulta e instruye a los jefes de los varios departamentos artísticos y técnicos de la compañía o grupo, con miras a la realización de su concepción escénica. Armonizar las diversas facetas de la producción teatral es una de las mayores preocupaciones del director. El director teatral, en este sentido moderno, surgió sólo en el siglo XIX, y apareció en el mundo hispánico únicamente a comienzos del XX. En la escuela escénica española tradicional, antes del advenimiento del director propiamente dicho, se hacía la distinción entre «**director artístico**», que era el encargado de escoger el repertorio, y el «**director de escena**», quien dirigía los ensayos. La persona responsable por la relativa coordinación de las diversas facetas del espectáculo era el autor mismo, o la primera actriz o el primer actor, que eran además gerentes o dueños de la compañía teatral.

discurso

Discurso es todo lenguaje considerado como un fenómeno que pone en relación a emisores y receptores. Expresado de otra manera, el discurso es el lenguaje en cuanto enunciación, lo cual implica sujetos que emiten enunciados (lo escrito o lo dicho, para el caso del teatro), sujetos a quienes están orientados los enunciados, y un contexto en que se realiza esa relación de sujetos (interlocutores). Este concepto es de obvia utilidad en el estudio del texto dramático o teatral, en el cual lo más evidente es la interacción (emisión y recepción) verbal de los personajes, en situaciones dramáticas específicas (contextos). Estos interlocutores son los sujetos de sus propios discursos. Su «diálogo» constituye uno de los niveles del discurso dramático/escénico: los **discursos de los personajes.** Existe otro nivel más abarcador, que es el del escritor (virtual) como enunciador de la totalidad del texto: es él quien habla a cierto tipo de receptor a través de los discursos de los personajes. Cuando éstos hablan, se produce por tanto una doble enunciación simultánea: la de los personajes y la del dramaturgo. Este habla también a través de las acotaciones. Y a través del tono, del ritmo, de la estructura de la acción, etc. De todas esas evidencias e indicios es posible extraer las características semánticas y estilísticas que constituyen el **discurso del escritor**. Y si pensamos en la enunciación escénica, entonces podemos distinguir otro nivel más de discurso, que es el **discurso del director**, quien con su arte escénico «escribe» también su «texto», inscribe su voz en el espectáculo, el cual está orientado a un determinado tipo de público. Los discursos dramáticos y escénicos globales (el del escritor y el del director) ponen en relación a emisores y receptores, aunque éstos no «dialoguen» con aquéllos de la misma manera que los personajes. Al aplicar estos conceptos al estudio del texto, el analista suele interesarse en el discurso del autor (sin descuidar a quién va dirigido su discurso), en el discurso del protagonista (en su relación con el antagonista, por ejemplo) o en el de algún personaje secundario interesante. (Véase «autor virtual», «voz», «deíxis»).

diseñador

En el teatro las personas encargadas de diseñar elementos de la escena en coordinación con el director son principalmente tres: el diseñador del decorado (el escenógrafo), que concibe, planea y diseña todo lo relacionado con el ambiente físico en que se moverán los personajes del universo dramático (escaleras, muebles, accesorios, el color de las paredes, etc.); el diseñador del vestuario, que se ocupa del estilo, color y textura de las vestimentas que llevarán puestas los actores, como también de la utilería de mano, y a veces aun del peinado y maquillaje, es decir de todo aquello que afectará la caracterización visual del personaje; el diseñador de la iluminación, que, trabajando en coordinación con el director y los otros diseñadores, crea el sistema de alumbrado para el espectáculo. Aunque estos diseñadores suelen ser catalogados como técnicos en los programas de mano, en verdad son también artistas por derecho propio.

dispositivo escénico

Término de origen francés, equivalente a decorado. Connota el aspecto artificial, no fijo, del decorado.

distanciamiento

Concepto asociado con el teatro épico de Bertolt Brecht, que se contrapone al de empatía del teatro convencional. La teoría épica de Brecht propone presentar el mundo dramático de manera que transforme al espectador en observador activo, despertando su conciencia crítica y su capacidad de acción en el mundo real. A este efecto y transformación se llama efecto de distanciamiento o «efecto V» (*Verfremdungseffekt*, en alemán). Entre las varias técnicas distanciadoras de Brecht se encuentran: estructura episódica, narración, coro, canciones, carteles, músicos sentados en el escenario y no en el foso de la orquesta, sala iluminada durante el espectáculo, cambio de escenografía a la vista del público, etc. En inglés se usa con frecuencia el término *alienation effect* para referirse a este concepto, pero este término tiene en nuestro medio connotaciones psicológicas e ideológicas negativas, por lo cual es preferible utilizar el vocablo «distanciamiento», y no «efecto de alienación».

ditirambo

Composición poética laudatoria en honor del dios Baco representada por un coro en los festivales dionisíacos atenienses.

divertir y enseñar

Los innumerables debates que se han dado a lo largo de la historia sobre la función social del teatro han girado fundamentalmente en torno a si debe ser didáctico o una pura diversión. Un análisis objetivo del fenómeno teatral demuestra que, aunque en diversas dosis y a veces de manera implícita, siempre están presentes ambas funciones. (Véase *«Arte nuevo de hacer comedias»,* «arte poética»).

divismo

Sistema de representación escénica, ya superado, que se sustentaba en el prestigio de actores-estrellas. Dos de las grandes divas de la escena europea fueron Sarah Bernhardt (Francia, 1844-1923) y Eleanora Duse (Italia, 1858-1924). Entre las españolas, cabe mencionar a María Guerrero (1868-1928) y Margarita Xirgu (1888-1969).

documental; drama documental; teatro documental; docudrama

Forma teatral moderna de origen alemán, que tiene como propósito la dilucidación de un suceso real, desde una perspectiva ideológica precisa. Se sirve de testimonios y documentos auténticos según su valor explicativo y denunciatorio, como, por ejemplo, decretos oficiales, artículos de periódico, estadísticas, fotografías, etc. Autores sobresalientes de esta modalidad teatral son Peter Weiss (Alemania, 1916), Rolf Hochhut (Alemania, 1931) y Vicente Leñero (México, 1939).

drama

1. Denominación general para toda obra del género dramático. Puede incluir tanto la comedia y la tragedia, como el melodrama y la farsa. Esta acepción concuerda con la etimología griega de «drama» (de *dran*, hacer, accionar), que remite a la acción dialogada, no narrada, a la «imitación de hombres en acción», como dice Aristóteles. 2. También se viene usando este vocablo desde el siglo XIX para designar una obra seria en tema y tono que, sin ser comedia, tampoco reúne los requisitos de la tragedia. Conviene no confundir obra dramática, que es el texto literario que uno lee, con obra teatral, que es la que uno ve representada en el escenario. (Véase «obra de teatro»).

drama de la pasión

De origen medieval, el drama de la pasión consiste en una representación popular de la agonía y crucifixión de Jesucristo, que se celebra durante la Semana Santa en calles, plazas e iglesias en varios países del mundo cristiano. Aparte de Cristo, otros personajes importantes suelen ser los «malos ladrones» y los «soldados romanos». En ciertos lugares, como en algunas aldeas de las Filipinas, quien hace el papel de Jesucristo, que a veces es una mujer, llega a ser efectivamente clavado/a en la cruz.

drama de ideas

Obra dramática que aborda en forma seria algún asunto o idea importante, generalmente de naturaleza moral o social. Los cultivadores más notables de esta forma dramática en la época moderna han sido Henrik Ibsen (Noruega, 1828-1906) y George Bernard Shaw (Irlanda, 1856-1950).

drama de tesis

Obra de tema político o social que pareciera haber sido escrita para defender o promover una posición ideológica preestablecida. (Véase «drama social»).

drama dentro del drama (Véase «metateatro»).

drama para ser leído

Obra que por su extensión o recursos (pasajes narrativos, improbabilidades de lugar o tiempo, etc.) parece destinada a un público lector, y no a un público de teatro. Equivale al inglés *closet drama*. Algunas de las obras más famosas de este tipo son las tragedias de Séneca y *La Celestina* («novela dialogada») de Fernando de Rojas (España, ?-1541). Pero aun esas obras han sido llevadas a la escena, aunque con considerables modificaciones.

drama social

Obra dramática seria que trata problemas sociales actuales, que surgió en Europa a fines del siglo XIX. Ejemplos de interés son *Juan José* y *El señor feudal*, de Joaquín Dicenta (España, 1863-1917), en los que, según la observación de un crítico, la cuestión social sirve al drama, y no el drama a la cuestión social. Muestra eximia del drama social europeo es *Casa de muñecas*, de Henrik Ibsen, cuyo tema central es la liberación femenina. Cuando una obra va más allá del tratamiento dramático de un asunto político o social y llega a proponer soluciones, es decir cuando la obra parece estar al servicio de la cuestión social o política, entonces la obra suele llamarse **drama de tesis**, tal el caso de varias piezas de Benito Pérez Galdós (España, 1843-1920).

dramático

Junto con el narrativo y el lírico, el dramático es uno de los géneros literarios principales. Su característica distintiva es que presenta un mundo ficticio de modo dramático, es decir por ostensión directa de personajes y acciones, no por narración o descripción. Conocemos a los personajes por lo que ellos mismos hacen o dicen, no por lo que nos diga un narrador. La acción del drama es siempre presente, y aun las escenas retrospectivas están remitidas a un presente dramático.

dramatis personae

Lista de los personajes que encabeza el texto dramático. Literalmente significa «las máscaras del drama», pues en un principio los actores llevaban máscaras, las cuales llegaron a ser simbólicas de los papeles o personajes. Equivale a reparto, cuando esa lista va acompañada del nombre de los actores y actrices del estreno. (Véase «personaje»).

dramaturgia

Arte de componer obras para el teatro. Al hablar de la dramaturgia de Juan Ruiz de Alarcón, por ejemplo, uno se refiere a la técnica y al estilo de sus obras dramáticas.

dramaturgista

En Argentina y otros países se designa con este neologismo al especialista en dramaturgia que asesora a un grupo o compañía teatral. Una de sus funciones suele ser la de arreglar o adaptar textos para las necesidades específicas del director o del grupo. Equivale al concepto francés, alemán e inglés de *dramaturge*.

dramaturgo

Autor de obras dramáticas. El arte dramatúrgico, como han descubierto novelistas y poetas a lo largo de la historia, es más que poner diálogos en boca de personajes: implica ante todo una capacidad para estructurar la acción de un modo dramático (con conflicto, tensión, clímax), y también un sentido de lo teatral (imágenes escénicas) y de lo gestual (la comunicación no verbal), y de la «economía» en el diálogo.

Antiguamente, el dramaturgo solía ser miembro de una compañía teatral, para la cual escribía y en la cual a veces dirigía y actuaba. A fines del siglo XIX y comienzos del XX, en la época de los «primeros actores» y «primeras actrices», algunos dramaturgos hispanos en ambos lados del Atlántico escribían a pedido de los jefes de ciertas compañías, creando papeles para determinados actores o actrices; así Florencio Sánchez escribió para Pablo Podestá; José Echegaray, Benito Pérez Galdós y Jacinto Benavente, para María Guerrero, y para Margarita Xirgu escribieron Benavente (nada menos que siete piezas), Pérez Galdós, Federico García Lorca (*Mariana Pineda, Doña Rosita la soltera, Yerma, Bodas de sangre*) y Rafael Alberti. Hoy en día generalmente no existe ese tipo de relación, y el dramaturgo escribe sus obras en soledad, a veces sin tener la menor idea de quién la pondrá en escena.

El término dramaturgo ya comienza a utilizarse en castellano en su sentido alemán, francés e inglés de «asesor literario de una compañía teatral», aunque recientemente se ha acuñado para este concepto el neologismo «dramaturgista».

efectos de luz
Resultados que se obtienen por medio de diversos recursos de iluminación, inclusive filtros de colores, con fines estéticos.

efectos de sonido
Sonidos imitativos, como disparos, lluvia o truenos, producidos artificialmente para complementar la acción escénica.

égloga
Composición dramática del Renacimiento, inspirada en motivos virgilianos. Juan del Encina (España, 1469-1529) cultivó con éxito este género.

elenco
Conjunto de todos los actores, directores y técnicos de una compañía.

embocadura
Boca del escenario.

empatía
Vínculo emocional entre el personaje, especialmente el protagonista, y el espectador o lector, mediante el cual éste vive vicariamente lo que vive el personaje. Empatía equivale a simpatía, pero sin el matiz sentimental de ésta. El autor utiliza esta técnica fundamental para acercar al lector o espectador desde temprano hacia su personaje central, y así comprometerlo afectivamente en la obra. Este juego de acercamiento del lector es de especial importancia para el procesamiento catártico en la tragedia, donde al final el lector es obligado a distanciarse del héroe, cuando éste sufre un castigo desmedido. También la estructura dramática contribuye al envolvimiento del lector/espectador, sin que esto constituya un fenómeno de empatía en sentido estricto. En las obras de estructura convencional, no «épica», el autor plantea y desarrolla la acción de tal manera que estimula al lector o espectador a crear ciertas hipótesis de resolución (la crisis, el clímax), cuyo cumplimiento es ansiosamente esperado. En este proceso de anticipación creativa, más que en el envolvimiento empático propiamente dicho, radica la relativa «actividad» del espectador del teatro convencional, de cuya «pasividad» se ha hablado tanto. En las obras «épicas» ocurre también un compromiso del espectador con la obra, por supuesto, pero es de carácter más francamente intelectual y gira en torno no tanto al destino del héroe o al desarrollo de la acción, cuanto a la problemática planteada. (Véase «distanciamiento»).

empresario
Persona que financia un espectáculo o una compañía con fines de lucro.

enredo
Complicación de la trama, especialmente en las comedias de intriga, que se extiende desde el «momento incitante» hasta la crisis.

ensayo
Ejercicio de actuación de una obra que se hace repetidamente con miras a la representación. El **ensayo general** es el último antes del estreno, y se realiza con vestuario, maquillaje, iluminación, sonido y decorado, en el escenario, a veces ante algunos espectadores invitados.

enseñar deleitando (Véase «arte poética»).

entreacto
Intervalo, descanso entre los actos de una obra teatral. En los siglos XVII y XVIII los entreactos se usaban para presentar un espectáculo teatral o musical menor, v. gr. un entremés, un sainete o una mojiganga. Lope de Vega teoriza sobre la función del entreacto en su *Arte nuevo de hacer comedias* señalando que dicho intervalo ayuda psicológicamente a justificar el lapso de tiempo transcurrido entre los actos.

entremés
Interludio cómico en un acto breve, surgido en el siglo XVI, que solía representarse entre una y otra jornada (o acto) de la comedia. Escrito en prosa o en verso, el entremés movía a la risa pintando las flaquezas humanas. Entre los personajes-tipo que poblaban los entremeses se contaban el vejete, el soldado, el sacristán, el estudiante, el médico, etc. Dignos de destacarse son los entremeses de Miguel de Cervantes (España, 1547-1616) y Fernán González de Eslava (España y México, 1534-1601).

épico; teatro épico
Estilo de dramaturgia y producción teatral asociado con Erwin Piscator (Alemania, 1893-1966) y sobre todo con Bertolt Brecht (Alemania, 1898-1956) que ha tenido considerable influencia en el teatro contemporáneo. El nombre es descriptivamente inadecuado y puede desorientar, cosa que el mismo Brecht reconoció, pero cuando era ya demasiado tarde para cambiarlo. Aunque puede servir para comenzar a entender el concepto de teatro épico el pensar en los aspectos «épicos» de esta nueva modalidad dramática y teatral (como elementos narrativos, personajes numerosos o temas de gran amplitud espacial o temporal), el calificativo «épico» no se opone, en Brecht, a dramático o a lírico. Sí contradice, en cambio, las poéticas dramáticas que prevalecían en el teatro alemán de comienzos de siglo, como el naturalismo, el impresionismo y el expresionismo, que para Brecht no eran sino reencarnaciones de la poética dramática aristotélica,

que privilegia las acciones inexorables y los conflictos de orden espiritual, y que busca la empatía y la catarsis («la purificación espiritual del espectador» la llama él) y la reconciliación social.

Brecht (director, actor, dramaturgo y teórico) abogaba por un teatro cuestionador del *status quo*, que hiciera reflexionar al espectador sobre los grandes problemas sociales, pero también insistía en que una de las funciones primarias del teatro era divertir. Cabe recordar que sus obras dramáticas principales, como *El círculo de tiza caucasiano*, tienen una considerable dosis de humor. Pero no hay duda de que su doctrina épica tenía un propósito primordialmente educativo. Es significativo que a un grupo de sus primeros dramas los llamara lisa y llanamente «piezas didácticas».

Un concepto clave en la doctrina del teatro épico es el del «efecto de distanciamiento» (*Verfremdungseffekt*, en alemán), conocido asimismo como «efecto V» y, debido a una traducción no muy feliz, también como «efecto de alienación». Brecht pensaba que un grave problema del teatro tradicional, «aristotélico», era que buscaba crear en el escenario una ilusión de realidad con la que se identificara el espectador. Ese teatro ilusionista tendía a «hipnotizar» al público y a hacerlo excesivamente pasivo y complaciente. Por tanto, y a tono con su filosofía política, el teatrista alemán se propuso crear un teatro fundamentado no en la identificación sino en el distanciamiento, que transformara al espectador emotivo en observador intelectual, que despertara su conciencia crítica sobre la problemática escenificada y que incitara su voluntad de acción en la vida real. A este efecto y transformación se llama distanciamiento o «efecto V». Entre las varias técnicas distanciadoras de Brecht se encuentran: temática lejana en el tiempo o en el espacio (pero análoga de algún modo a la realidad contemporánea), estructura episódica, mezcla de elementos dramáticos y narrativos, teatralización (artificiosidad del espectáculo, antinaturalismo), uso de coro, canciones, carteles y máscaras, músicos sentados en el escenario y no en el foso de la orquesta, sala iluminada durante el espectáculo, cambio de escenografía a la vista del público, etc. Además, Brecht quería que el propio actor se distanciara de su papel y se convirtiera en una especie de demostrador y comentarista de las acciones que representaba (propuesta muy contraria a las ideas de Stanislavski), y para ello ideó varias técnicas.

A veces se utiliza el término «épico» para referirse únicamente a las técnicas distanciadoras, y «brechtiano» para aludir no sólo a la forma sino también a la filosofía (marxista) propugnadas por Bertolt Brecht en sus escritos principales. Si bien la teoría del teatro épico de Brecht aparece dispersa en varios documentos, su breve tratado *El pequeño órganon para el teatro* (1948) incorpora muchos de sus principios. (Véase «distanciamiento», «*gestus*»).

epílogo

Parte final del drama, generalmente en forma de monólogo, en que se recapitulan los sucesos o enseñanzas principales de la obra. (Véase «prólogo»).

episodio

1. En el drama griego, segmento principal del mismo, comparable a un acto breve del teatro moderno, constituido por el diálogo dramático. Los episodios alternaban con los cantos corales (estásimos). 2. Hoy se dice que una obra es episódica cuando consta de escenas de relativa autonomía que no tienen una relación causal entre sí, sino que se suceden bastante libremente, como suele ocurrir en el teatro épico de Bertolt Brecht.

escena

Este vocablo tiene varias acepciones, que son las siguientes. 1. Espacio donde los actores representan una obra. 2. Disposición de los elementos del decorado en el escenario para una obra teatral o parte de ella. 3. Representación física (en el escenario) o imaginaria (en el texto dramático) del lugar ficcional en que se desarrolla la acción dramática. 4. Segmento menor que el acto. Tradicionalmente, la escena (en este último sentido) estaba determinada por la entrada o salida de uno o más personajes al mismo lugar, en el teatro español y francés. Ahora la escena es concebida más bien como una parte unitaria de la acción total. 5. El arte teatral en general. 6. En el teatro griego clásico, la escena (*skene* o *skenotheke*) era una pequeña cabaña ubicada detrás de la orquesta, utilizada por los actores para cambiarse.

escenario

Espacio del edificio teatral destinado a la actuación de los comediantes. Se llama también **escena**. Cuando el estrado de actuación se proyecta al auditorio de modo que queda rodeado por los espectadores por tres costados se llama **escenario en media luna**, que corresponde al inglés *thrust stage*. Si el espacio de actuación está circundado del público por los cuatro costados, se denomina **teatro arena** o **escenario de arena**. Cuando el área para la actuación no forma parte de un edificio teatral, sino de espacios no convencionales, como plazas o bocacalles, entonces el nombre que suele dársele es **campo escénico** o **espacio escénico**. El escenario, como ha dicho Peter Brook, es ante todo un «espacio vacío», que se «llena» durante el espectáculo con signos visuales y acústicos. El escenario convencional está acotado, de arriba, por las bambalinas; de los costados, por los bastidores; atrás, por el telón de fondo o el ciclorama; al frente, por el telón de boca o el arco del proscenio y las candilejas.

En sentido amplio, el escenario incluye no sólo la plataforma de actuación (la **escena**) sino todo el espacio anexo a ella, que en un teatro moderno es de gran complejidad. Encima de la plataforma hay bambalinas, equipo de iluminación, telar, puentes, galerías de trabajo; inmediatamente delante del proscenio está el foso de la orquesta; en los lados y en la parte posterior, detrás de los bastidores y los telones de fondo, hay un espacio relativamente grande para la colocación y movimiento de actores, personal técnico y equipo; debajo de la plataforma hay diversos tipos de maquinaria. En zonas menos inmediatas hay varios cuartos, para que se vistan los artistas (camerinos), para que operen los tramoyistas, los pintores y otros técnicos, para guardar el vestuario, la escenografía y la utilería, y aun suele haber una sala para ensayos. A fines del siglo XIX y a comienzos del XX, en la época de los grandes divos y divas del teatro, como María Guerrero, cuando ellos controlaban vastas áreas de la producción teatral y aun hacían construir edificios teatrales a su gusto, sobre el escenario solía haber un grupo de habitaciones para el alojamiento del actor o actriz/empresario(a).

escenario giratorio
Escenario circular dotado de varios decorados fijos, que gira mecánicamente, según cambian los actos o las escenas. Una ventaja de este escenario es que el equipo técnico no tiene que transformar el decorado entre actos, cuadros o escenas, como ocurre en el escenario convencional.

escenario interior
Escenario pequeño ubicado detrás del escenario propiamente dicho y separado de éste por cortinas, en el teatro isabelino. Parece ser que existía este tipo de escenario también en algunos corrales españoles en la Edad de Oro.

escenografía
Arte de diseñar y pintar decoraciones escénicas. Decorado.

escenografía corpórea
Se distingue de la escenografía pictórica por tener tres dimensiones.

escenógrafo
Autor del decorado. (Véase «diseñador»).

escotillón
Abertura en el piso del escenario, para permitir por allí entradas o salidas de actores, en escenas de apariciones o entierros, por ejemplo. También se conoce con el nombre de **trampa** o **portalón**.

espacio
El espacio en el teatro puede clasificarse de la siguiente manera, siguiendo las propuestas de Patrice Pavis y otros estudiosos: 1. El **espacio dramático** es el espacio que el lector o espectador construye en su imaginación a partir de pistas provistas por el diálogo, por las acotaciones (en el texto) o por

el decorado (en el escenario). 2. El **espacio escénico** es el que el montaje hace visible sobre la escena. Durante el espectáculo teatral, el espacio dramático (simbolizado) y el espacio escénico (simbolizante) se mezclan en la percepción del espectador. 3. El **espacio lúdico** es el creado por los movimientos de los actores durante el espectáculo, ya sea en un escenario convencional o en otro lugar utilizado para el efecto. 4. Cuando el espacio lúdico se da dentro del espacio dramático (en una obra metateatral, en un *play within a play*), podemos hablar de **espacio metateatral.**

El análisis del espacio dramático suele contribuir a precisar el nivel social o la condición psicológica de los personajes que lo habitan. En otro contexto, se utiliza la expresión **espacios escénicos** para designar espacios al aire libre habilitados para espectáculos teatrales ante públicos campesinos, así por ejemplo en ciertas comunidades rurales del Estado de Tabasco en México. (Véase «proxémica»).

espectacular

Ahora comienza a utilizarse esta palabra para calificar lo relativo al espectáculo, sin ninguna connotación de grandiosidad, como en «texto espectacular», es decir el conjunto de signos audio-visuales de la representación teatral.

espectáculo

En sentido amplio, se refiere a una función o diversión pública de cualquier especie. Como sugiere la etimología latina (de *spectaculum* y *spectare*, mirar), designa estrictamente los elementos visuales de la representación escénica. El concepto de espectáculo implica entonces la presencia de espectadores, quienes son los que miran. Sin público, por consiguiente, no existe espectáculo. Puesto que el drama está concebido para representarse en el escenario, para que sea visto por espectadores, Aristóteles habió del espectáculo como uno de sus seis elementos constitutivos, aunque advirtiendo que el arte del espectáculo era más bien parcela del tramoyista, que no del poeta (*Poética*, capítulo VI). Esta observación ha dado pie para que una corriente crítica desacredite la faceta espectacular del teatro e insista sólo en lo estrictamente textual y literario, pero también para que otra moderna subraye la virtualidad escénica (lo visual, lo teatral) propia de todo texto dramático, tanto a nivel de acotación como de diálogo. (Véase «lenguaje dramático»).

espectador conjetural (Véase «lector conjetural»).

esperpento

Forma trágico-grotesca asociada con Ramón del Valle Inclán (España, 1866-1936), quien dijo que era la forma exacta para expresar el sentido trágico de la vida española, mediante recursos deformadores semejantes a las distorsiones producidas por los espejos cóncavos. Aunque el esperpento puede considerarse parte de una tradición estética ibérica que subraya lo grotesco, como la pintura de Goya, el impulso fue dado por movimientos modernistas europeos, tales como el Dadaísmo.

estásimo
Oda coral del teatro griego antiguo desarrollada en alternancia con los episodios del drama. Se conjetura que los coreutas lo cantaban mientras describían circunvoluciones simétricas en la orquesta.

estilo
Manera de expresión o representación característica de un artista, un grupo de artistas o una época. Los grandes estilos dramáticos y/o escénicos que reconocen las historias son: clásico, renacentista, barroco, neoclásico, romántico, realista, impresionista, naturalista, simbolista, expresionista, existencialista y absurdista.

estímulo (Véase «fuerza incitante»).

estreno; *première*
Primera representación pública.

estructura dramática
Organización de las partes que forman la totalidad de la obra dramática. Hay varios modos de analizar esa organización. Desde una perspectiva exterior y formal, observamos que un drama puede estar estructurado en actos o episodios, y ambos en cuadros y/o escenas. Las tragedias griegas antiguas, por ejemplo, estaban compuestas por episodios (escenas dialogadas) y estásimos (cantos corales), que se sucedían alternativamente, y las obras de revista de comienzos de este siglo constaban por lo general de un acto dividido en varios cuadros dialogados y cantados.

Si hacemos una abstracción de la acción dramática, prescindiendo de la organización exterior de las partes, y miramos la manera general como ella está dispuesta, encontraremos que esa acción puede tener una estructura lineal (avance hacia adelante de la acción, sin otras interrupciones que las de los entreactos), entrecortada (cadena de numerosas situaciones o episodios breves, claramente diferenciados en su dimensión temporal y/o espacial), retrospectiva (parte de la acción es presentada en forma analéptica, en *flashbacks*), empotrada (drama dentro de un drama), circular (el final de la obra remite a la situación inicial), por alternancia (las líneas principales de acción se suceden alternadamente), heterogénea (como en un *collage*), etc. Ciertos tipos de estructura están vinculados con ciertas formas dramáticas, así la episódica con el teatro épico, que tiende a los temas de gran amplitud espacial y/o temporal; la circular con el teatro del absurdo, que suele ocuparse de asuntos quietistas y reiterativos; y la lineal con la tragedia, que se sustenta en el avance inexorable hacia la destrucción del héroe.

Desde el ángulo de la evolución de la acción, podemos decir que las partes fundamentales de un drama convencional son la presentación, el desarrollo (nudo o enredo), la crisis y el desenlace. Esas partes no coinciden necesariamente con la estructura formal de actos o episodios. En la crítica anglosajona se utiliza a veces el modelo estructural conocido como la «pirámide de Freytag», llamado así por el estudioso alemán Gustav Freytag, quien propuso la estructura piramidal como característica de la tragedia romántica, compuesta por la introducción, la acción ascendente (*rising action*), el clímax, la acción descendente (*falling action*) y la catástrofe, en una obra de cinco actos. La propuesta es interesante porque destaca el proceso de tensión/distensión tan frecuente en el drama, pero su aplicación estricta es imposible en las obras de uno o dos actos, propias del teatro contemporáneo. (Véase «trama»).

ethos

Comportamiento del personaje, carácter. Según Aristóteles, *ethos* es aquello que revela las preferencias o aversiones habituales del personaje. Eso sería, para él, el rasgo distintivo más importante del personaje dramático, aunque está vinculado a la dianoia, que sería la razón o justificación de la conducta del personaje.

evento teatral

La representación escénica y su recepción por parte de los espectadores, y toda interacción entre escena y público.

éxodo

Ultimo canto ritual del coro griego, ejecutado mientras abandonaba la orquesta, al final del drama.

experimental; teatro experimental

Aquél que realiza experimentos tendientes a la innovación, sobre todo formal y técnica. Antitradicional, anticonvencional. Llamado también teatro de búsqueda. Semejante a teatro vanguardista.

exposición (Véase «presentación»).

expresión corporal

Parte fundamental del entrenamiento de los actores, que tiene que ver con la expresividad de gestos y movimientos, no lingüística.

expresionismo

Estilo antirrealista que nació en Alemania a comienzos del siglo XX. Pretende proyectar en el escenario estados mentales, y frecuentemente se sirve para ello de escenas macabras o pesadillescas. El Expresionismo distorsiona la realidad objetiva y trastorna las nociones convencionales de tiempo, espacio y proporción. Es un estilo predominantemente teatralista, que hace uso de recursos tales como decorados estilizados, máscaras y efectos llamativos de luz y sonido. August Strindberg (Suecia, 1849-1912), Georg Kaiser (Alemania, 1878-1945) y Eugene O'Neill (Estados Unidos, 1888-1953), entre otros autores, escribieron dramas expresionistas.

fábula
Suma coherente de los acontecimientos dramáticos, ordenados cronológicamente, para fines de análisis. Se contrapone a trama. Una misma fábula puede tener diversas tramas. A veces el autor utiliza las primeras escenas de la obra para dar a conocer la «pre-historia» dramática, que es parte de la fábula; otras veces, provee esa información paulatinamente a lo largo del drama. Bertolt Brecht aconsejaba elaborar siempre la fábula (conocida también con el nombre de «cuento» entre algunos grupos independientes hispanoamericanos) de una obra, pues ella suele revelar la conexión causal de los eventos y ayuda a insertar a los personajes y a la acción dramática en un contexto histórico y social. (Véase «trama»).

fábula atelana (Véase «atelana»).

falla trágica (Véase «hamartia»).

farándula
1. Profesión de los actores y, por extensión, el mundo teatral. 2. Antiguamente, compañía teatral compuesta por un número no muy grande de cómicos.

farsa
Obra cómica en que se distorsionan el diálogo, las situaciones y los personajes hasta lo inverosímil, absurdo o grotesco, con propósitos satíricos o moralizantes. Los personajes son excéntricos o caricaturescos; las tramas, enmarañadas e improbables; la atmósfera, caótica. Se ha dicho que el atractivo de la farsa consiste en que, por medio de ella, el público puede experimentar vicariamente fantasías prohibidas y comportamientos inaceptables; la farsa sería pues una especie de válvula de escape, para mantener la moral y el orden en la vida cotidiana. Este género floreció en los siglos XV y XVI en Francia, de donde se extendió a otros países europeos. La farsa se ha convertido en un género muy cultivado en el teatro contemporáneo, y puede llegar a tener características de obra seria y trágica, como ocurre con algunas farsas del teatro del absurdo. (Véase «absurdismo»).

ferma
Pieza rígida baja del decorado «realista», que puede extenderse a todo lo ancho del escenario, y que sirve para representar paisajes.

festival
El desarrollo del teatro ha estado enlazado con festivales. En las fiestas en honor del dios Dionisio entre los griegos se cree que nació el teatro occidental, en el siglo V a. C. En la Edad Media había festivales cristianos durante la primavera, en los que se representaban dramas de tema religioso, particularmente en torno a la fiesta de Corpus Christi. Hoy se realizan festivales nacionales e internacionales con el propósito de promover el teatro y también una imagen positiva de quienes los subsidian, que suelen ser entidades estatales o empresas comerciales.

figurante
Comparsa.

fin de fiesta
Escena breve con baile con que concluía un espectáculo teatral en la Edad de Oro española.

folklórico; teatro folklórico
Forma teatral o parateatral producida por y para una comunidad étnica, basada en sus propias tradiciones ancestrales. La música y la danza son elementos fundamentales. En Latinoamérica, el teatro folklórico está enraizado en las tradiciones indígenas, o hispano-indígenas, y está regido en general por el calendario religioso. Contiene a veces un considerable elemento ceremonial o totémico, y está asociado con los ritos de siembra y de cosecha, o con la imitación de movimientos de animales. En muchas instancias, el elemento verbal ha desaparecido del espectáculo, pero todavía es posible reconocer las historias representadas («Carlo Magno y los Doce Pares de Francia», «La Mama Negra», etc.) a través de los signos visuales. (Véase «danza tradicional», «popular»).

foro
1. Puerta o salida central situada al fondo del escenario, visible al espectador. **Zona de foro** es la parte del escenario más cercana al telón de fondo. 2. En varios países sudamericanos, se llama foro al **debate** que ocurre entre actores y espectadores al final de una representación. 3. En México, foro equivale a escenario.

foro; teatro-foro
El teatro-foro es un método de creación escénica que forma parte del «teatro del oprimido» de Augusto Boal. Originado en el Perú en 1973 como parte de una campaña de alfabetización y desarrollado después en Europa, el teatro-foro es una especie de espectáculo-juego en que interactúan los actores/personajes y los espectadores. En la primera parte del evento, los actores escenifican una pieza breve escogida para el efecto o improvisan una escena partiendo de un tema propuesto por el público, y

en la segunda (el «foro») uno o varios espectadores abordan el escenario para rehacer la acción dramática, actuando, y transformar la visión del mundo presentada por la obra en la visión de un mundo que podría o debería ser. Originalmente, los temas así analizados eran de índole económica, política o social. En la actualidad, sobre todo en Europa, donde trabaja Boal parte del tiempo, la temática es más bien de naturaleza psicológica, y algunos han comparado el teatro-foro con el psicodrama. (Véase «oprimido»).

foso

Piso inferior del escenario desde el cual se operan los escotillones y otros aparatos.

foso de la orquesta

En los teatros modernos, espacio generalmente a desnivel, inmediatamente delante del escenario, donde se colocan los músicos.

fuerza incitante

También conocida como **momento incitante** o **estímulo**, la fuerza incitante es, según el crítico alemán Gustav Freytag, el punto de la estructura dramática que marca el final de la introducción y el comienzo de la «acción ascendente». Frecuentemente se presenta en forma de una decisión del protagonista, o una noticia o la aparición de un nuevo personaje, que altera una situación inicial estable.

galán

En la escuela española tradicional, actor que representa únicamente papeles de hombre joven.

galería

1. Es el lugar del auditorio más alto y lejano con respecto al escenario, donde se encuentran las localidades más baratas. Se conoce con diversos nombres según la región o el país; v. gr.: paraíso, gallinero, gayola, cazuela. Según la configuración arquitectónica del teatro, puede haber galerías de fondo y galerías laterales. 2. También se da este nombre al puente que está sobre el escenario, desde donde los tramoyistas hacen subir y bajar las piezas de la escenografía. (Véase «palco», «platea»).

género

Los géneros o mejor dicho los subgéneros principales del género dramático son cuatro: tragedia, comedia, farsa y melodrama, que se definen separadamente en este diccionario. Esta división sirve como una primera aproximación a la heterogeneidad de la literatura dramática, la cual es sumamente variada, como prueba este glosario. El término suele usarse con harta flexibilidad, y así se habla de «género grotesco», «género musical», «género chico», etc.

género chico

Nombre de intención desvalorizadora, dado por los historiadores y críticos del teatro convencional a obras breves o «petipiezas» de tono festivo, principalmente a las del «género lírico», como zarzuelas chicas, sainetes con música o revistas con trama. Además de despectivo, el nombre es inexacto, pues no se refiere a un «género» sino a una gama de especies dramáticas. Esta modalidad teatral surgió en España en la segunda mitad del siglo XIX y se diseminó inmediatamente por Hispanoamérica. La constituyen obras de carácter popular y costumbrista, cuya acción se plasma en torno a la interacción de personajes-tipo, como el «golfo» (pillo), la modistilla o el «hortera» (empleadillo de comercio), en el caso de las piezas madrileñas, o el «pelado» (vivillo) o la «china poblana» (india del estado de Puebla), en el de las mexicanas. Entre los cultivadores más exitosos del «género chico» se hallan los hermanos andaluces Alvarez Quintero (Serafín, 1871-1938, y Joaquín, 1873-1944), y el mexicano José F. Elizondo (1880-1943). Varios compositores de música se hicieron muy famosos por su vinculación con el «género chico», como Chapí, Chueca y otros. (Véase «zarzuela»).

gesto

Movimiento expresivo de la cabeza, las manos y otras partes del cuerpo. El gesto es un recurso importantísimo del lenguaje teatral, y esencial en el lenguaje pantomímico. La gestualidad de las escenificaciones realistas se fundamenta en la gestualidad del medio social, la cual varía de cultura en cultura.

gestus

Concepto controvertible del teatro épico, definido por Bertolt Brecht como «las actitudes que la gente adopta entre sí, dondequiera que sean socio-históricamente significativas (típicas)». Tales actitudes sociales se manifiestan fundamentalmente a través de gestos, en la vida y en el teatro. El gesto sería entonces indicio de una actitud más abarcadora, de un comportamiento fundamental, o sea el «gestus». Una de las metas del teatro épico de Brecht era la representación desfamiliarizada de dichas relaciones sociales, para hacer que el público tomara conciencia del sustrato ideológico de esos gestos y actitudes. (Véase «distanciamiento», «épico», «desfamiliarización»).

gira

Representaciones sucesivas de una compañía, en varias ciudades escalonadas.

gracioso

Personaje festivo que con frecuencia asume el papel de consejero y confidente del protagonista, en el teatro del Barroco español e hispanoamericano. Tipo práctico, aficionado al buen comer y enemigo del peligro, es también fiel a su amo, a quien aconseja y aun critica, y a quien saca de situaciones difíciles. (Véase «personaje coral»).

grotesco criollo

Especie tragicómica derivada del «sainete criollo» y del «grotesco» italiano (Luigi Chiarelli [1884-1947], Luigi Pirandello [1867-1936]) y practicada en la Argentina desde la tercera década del siglo XX. A pesar de sus elementos costumbristas e irónicos, es una forma de teatro definitivamente seria, y aun de crítica social. Armando Discépolo (Argentina, 1887-1971) es reconocido por la crítica como el iniciador del grotesco criollo. Uno de sus temas predilectos es el de la problemática del inmigrante: pobreza, fracaso, desadaptación, pérdida de la identidad, alienación. El sentimiento de angustia que se percibe en muchos dramas del grotesco criollo suele asociarse a la escasez de recursos económicos y a la decadencia familiar, y a veces estalla en violencia verbal y física. Obras más recientes de esta tendencia, como por ejemplo *La nona*, de Roberto Cossa (Argentina, 1934), pertenecen a lo que se llama **neogrotesco**, cuya temática y lenguaje actuales no dejan de remitir al estilo deformante del grotesco de las décadas del veinte y treinta.

guardarropía
1. Conjunto de trajes y accesorios para los actores y las actrices. 2. Lugar donde se almacenan estos trajes.

guión
Escrito breve que sirve de guía para la producción de una cinta cinematográfica. Contiene el diálogo de los actores y todos los detalles artísticos y técnicos para la cabal realización de la película. Suele decirse que el texto dramático es como un guión en la medida en que está concebido como un escrito que sirva de orientación al director en la realización escénica del mismo.

guiñol
Títere. Teatro de títeres. **Gran guiñol** (o *grand guignol*, en francés) es un espectáculo teatral breve fundamentado en elementos de violencia y terror.

gusto (Véase «*Arte nuevo de hacer comedias*», «poética», «divertir y enseñar»).

hamartia o **hamarcia**
Error o falla del protagonista trágico, que está ligado a su caída, en la teoría de Aristóteles. El filósofo dice que la caída del héroe no se debe a depravación o vicio sino a un grave error (*Poética*, capítulo XIII), que la crítica ha interpretado como un error de juicio o falla moral. Se conoce también como «falla trágica». (Véase «hibris»).

happening
Espectáculo desarrollado de ordinario en calles y plazas, que intenta provocar e incorporar al público y al espacio del público en la acción; pretende borrar las barreras entre actor y espectador, entre ficción y vida. Hace uso frecuente del suspenso, de lo inusitado, de lo ritual y de la improvisación, con un sentido marcadamente hedonista. Puede considerarse una especie del género más amplio llamado «teatro ambiental». El término *happening* (evento) lo usó por primera vez el norteamericano Allan Kaprow en Nueva York, en 1959. (Véase «teatro ambiental»).

hermenéutica
1. En su aplicación original, esta palabra de origen griego significa el arte de interpretar las Sagradas Escrituras. En los estudios literarios actuales tiene dos significados principales. 2. En sentido amplio se la usa como sinónimo de «interpretación» de cualquier texto literario. 3. Hermenéutica es también el método de análisis propuesto por críticos tales como Hans-Georg Gadamer (Alemania, 1900), y que se concentra en el estudio reverente y en la «comprensión» de los grandes textos tradicionales, es decir los llamados «clásicos», fijándose ante todo en su carácter orgánico.

héroe/heroína
Figura central en un drama serio o tragedia. El concepto tiene una aplicación más rigurosa en las obras de asunto heroico.

héroe trágico
Según Aristóteles (*Poética*, capítulo XIII), el héroe trágico no es un individuo perfecto, eminentemente virtuoso, ni tampoco un malvado, sino una persona básicamente buena, que vive en un estado de prosperidad (material o moral), que disfruta de alta reputación, cuya caída en desgracia no se debe a una depravación moral (porque en ese caso su desventura sería merecida) sino a un error (hamartia). Es una persona como nosotros, dice Aristóteles. Su desventura es inmerecida, y por eso despierta piedad en nosotros; y también nos provoca temor, por tratarse de una persona «como

nosotros». Elaborando las notas de Aristóteles, S. H. Butcher puntualiza que el héroe trágico no debe ser perfecto ni totalmente inocente ni tampoco pasivo. Dice que el héroe de tragedia debe exhibir gran fuerza de voluntad, un deseo de poder, que es lo que origina el conflicto. También suele ser egoísta y combativo. Su ruina personal, anota Butcher, restablece el orden social, y vuelven a imperar las fuerzas morales. (Véase «tragedia»).

hibris

Vocablo griego que se refiere al orgullo arrogante y temerario del héroe trágico, que contribuye a su caída, como en el caso de Edipo en la tragedia de Sófocles. Hibris sería una especie de hamartia.

histrión

1. Persona que se disfrazaba para divertir al público. Bufón, farsante. 2. También simplemente actor.

humor negro

Humor con elementos absurdos y mórbidos. Las comedias de humor negro buscan con frecuencia provocar la risa con recursos propios de la farsa, como el lenguaje verbal y no verbal violentos.

I

identificación
Término referente tanto a la inmersión del actor en su papel como al envolvimiento emocional en la acción y personajes por parte del espectador (empatía). Tiene particular aplicación en el teatro ilusionista. Vocablo opuesto a distanciamiento.

iluminación
Disposición de las luces en el escenario. En los primeros corrales o patios de teatro no era necesaria ninguna iluminación, por realizarse los espectáculos a la luz del día. Después el uso de velas y candiles hizo posible los espectáculos nocturnos. Ese sistema primitivo de iluminación era eminentemente pragmático, y no ofrecía muchas posibilidades de índole estética. Además era peligroso, y numerosos teatros terminaron incendiados. Con el advenimiento de la electricidad, la iluminación teatral se ha desarrollado muchísimo. Ahora se usan variados focos y reflectores, colocados en varios sitios del escenario y aun en la sala misma, de diverso color e intensidad, que se manejan desde un panel de control. La iluminación actual se usa para subrayar la presencia de algún actor, para destacar alguna parte de su cuerpo, para activar una zona del escenario, para crear ambientes especiales, y aun para señalar el fin de un cuadro o un acto. Ahora muchos textos, en vez de «telón», simplemente indican «oscuro» o «apagón».

ilusión dramática
La representación de la realidad que el espectador acepta como si fuera la realidad misma, aunque él sabe que es ficción. La creación de la ilusión dramática depende en gran medida de la destreza con que el autor y el director apliquen el principio de verosimilitud a la caracterización, la trama, el mundo representado en general, así como a los diversos aspectos de la escenificación.

improvisación
Aparte del sentido convencional de una acción o discurso espontáneos, como ocurría durante los espectáculos de la *Commedia dell'arte*, por ejemplo, improvisación tiene otros dos sentidos en el ámbito teatral: una técnica de ensayo tendiente a revelar al actor la verdad secreta o rasgos escondidos (subtexto) de su personaje, en el proceso convencional de creación teatral; y el acto de crear los movimientos y el diálogo a partir de un tema, y no de un texto, en el proceso de creación colectiva. (Véase «*blocking*», «creación colectiva»).

independiente; teatro independiente

Movimiento rioplatense iniciado a fines de la tercera década del siglo XX, como reacción contra el comercializado y decadente teatro profesional. Se propuso, entre otros objetivos, desterrar de la escena el divismo interpretativo, independizarse de las presiones de los empresarios y en general levantar el nivel artístico del teatro argentino y uruguayo. Leónidas Barletta (Argentina, 1902-1975) fue el principal impulsor y defensor del movimiento y sus metas, a través de las producciones del Teatro del Pueblo, fundado por él, y de algunos escritos (*Viejo y nuevo teatro*). En otras regiones latinoamericanas ocurrieron movimientos semejantes, aunque con diferentes nombres. También en España se habla de teatro independiente en referencia a grupos profesionales tales como Els Joglars y Tábano, caracterizados por un afán de crear espectáculos innovadores, fuera de la órbita del teatro comercial, e influidos por las contribuciones técnicas y estéticas del Living Theater, Jerzy Grotowski y otros.

invisible; teatro invisible

Método de creación parateatral que forma parte del «teatro del oprimido» de Augusto Boal. Las primeras experiencias se efectuaron en trenes, restaurantes y mercados argentinos en 1971, donde actores profesionales interactuaban con la gente circundante, sin que ésta se diera cuenta de que estaba participando en un evento «teatral». A partir de un tema candente, un grupo de actores escribe un pequeño diálogo para ser representado en cualquier lugar donde se congrega la gente. Allí los actores interpretan sus papeles ante personas que en ningún momento deben convertirse en espectadores. Los espectadores no-espectadores son atraídos por la animada discusión que escuchan, y pronto participan («actúan») en ella, obligando a los actores a improvisar más allá de su texto inicial, y ventilándose así el tema, de carácter socioeconómico o político por lo general, hábilmente propuesto por el grupo. Según Boal, lo clandestino e invisible del acto teatral hace que la gente se involucre en él, sea activa; si no fuera invisible, probablemente la gente adoptaría el papel pasivo del espectador de teatro. (Véase «oprimido»).

ironía dramática

Ironía que se produce cuando el espectador tiene conciencia de algo que el personaje todavía no conoce. La **ironía trágica** se da cuando el elemento desconocido por el personaje trágico, va a afectarle negativamente.

isabelino; teatro isabelino

Se denomina así (*Elizabethan Theater*) al teatro inglés que corresponde aproximadamente al del reinado (1558-1603) de Isabel I, de la familia Tudor. Isabel I favoreció las artes y las letras, y el teatro gozó de gran prosperidad y popularidad. En esa época se construyeron varios edificios para funciones de teatro exclusivamente, bastante bien adecuados, como el famoso «El Globo». La figura sobresaliente fue William Shakespeare (1564-1616).

J

jacalón

En México, estructura teatral semipermanente, relativamente pequeña, ubicada por lo común en barrios populares. El auge de estos edificios coincidió con el del teatro de revista a principios del siglo XX.

jácara

Espectáculo de danza y música, que solía ofrecerse en los entreactos de una comedia durante la Edad de Oro en España.

juego de roles o juego de papeles

Recurso dramático muy antiguo, pero asociado sobre todo con el teatro contemporáneo, consistente en el desempeño de otro papel por parte de un actor/personaje dentro de la ficción dramática. Es lo mismo que *role-playing* en inglés. Es una técnica metadramática distanciadora que hace que el lector/espectador cobre conciencia del carácter artificial y artístico del teatro. (Véase «metateatro»).

juglar

Artista ambulante que entretenía a la gente, inclusive en las cortes de los reyes, con canciones, poemas o juegos.

juguete cómico

Obra dramática breve y ligera.

lector conjetural

También llamado «lector implícito», «lector virtual» y aun «lector ideal», el lector conjetural es aquel lector potencial que el autor tiene en mente al escribir su obra y que de alguna manera está inscrito, o implícito, en ella. Ese lector sería capaz de comprender adecuadamente la obra porque conoce los códigos fundamentales (principiando con la lengua) con que está escrita, y tiene, en general, la «competencia» necesaria. Es a este lector presunto a quien se dirige el autor, y no al lector de carne y hueso, al cual él no tiene modo de imaginar cómo será en realidad. La persona que lee la obra, es decir el lector real, puede que sea incapaz de comprenderla suficientemente, por desconocer ciertos códigos (intertextuales, por ejemplo); o por el contrario, que sea capaz de comprenderla de un modo distinto al que desearía el autor, por interpretarla con otros códigos de lectura; evidentemente, no es esa persona la que tiene en mente el autor, sino un lector conjetural, que viene a ser una especie de eco del propio autor las más de las veces. Lo dicho sobre el lector es aplicable también al espectador. (Véase «autor virtual», «competencia», «recepción»).

lectura

En la jerga crítica actual, lectura equivale a interpretación. Es propio de todo texto literario permitir una variedad de lecturas, que están determinadas por las incitaciones textuales, por las corrientes o modelos hermenéuticos en vigencia (psicológicos, formalistas, sociológicos, etc.) y por las preconcepciones culturales y experiencias del lector, inclusive experiencias que tienen que ver con su clase social. Hay ciertos textos y espectáculos que por su carácter innovativo fuerzan al receptor a estar muy alerta, pero aun en circunstancias más convencionales el lector/espectador es mucho más activo de lo que se supone, pues durante el proceso de «lectura» está constantemente llenando lagunas en el texto, haciendo conexiones, seleccionando aspectos, adelantando hipótesis, comparando el mundo ficticio con sus propias experiencias, es decir construyendo un (el) sentido de la obra. Umberto Eco ha dicho que en cierta medida toda lectura es una lectura «errónea», puesto que no coincide con la del lector «ideal», y que las lecturas «erróneas» pueden ser más interesantes y plausibles que una lectura «correcta», suponiendo que tal lectura exista. (Véase «recepción»).

leitmotiv

Derivado de la música, este concepto se aplica en la literatura para significar un tema recurrente.

lenguaje dramático

Formalmente, el lenguaje dramático consta del diálogo y de las acotaciones. En el caso de las tragedias griegas antiguas y de algunos dramas modernos, habría que añadir las odas corales o sus variantes. El **diálogo** dramático se diferencia del diálogo del género narrativo por ser una serie de discursos que no están supeditados a una base o encuadre narrativo. Los sujetos de estos discursos son los personajes, a quienes conocemos directamente, sin mediación de un narrador. En contraposición con el lenguaje poético, el dramático se distingue, entre otras cosas, por ser más funcional: el diálogo sirve para que las personas ficcionales adquieran identidad y, sobre todo (como observó Aristóteles), para que la acción avance. La calidad retórica (tropos, por ejemplo) y fonética (rima, ritmo) es por lo general menos importante en el drama (aun tratándose de una obra en verso) que en la poesía. El diálogo dramático es la expresión de múltiples voces, en tanto que en la poesía se percibe, de ordinario, una sola voz. Aparte de estas comparaciones intergenéricas, es preciso poner atención, con algunos estudiosos contemporáneos, en el carácter deíctico fundamental del diálogo dramático, es decir, en su función creadora del contexto comunicativo: incesantes referencias a los sujetos de los discursos o parlamentos, a los interlocutores y a las condiciones espacio-temporales de la enunciación dialógica. Como ha dicho Keir Elam, el diálogo dramático consiste ante todo en un **yo** que se dirige a un **tú** presente, **aquí** y **ahora**.

Las **acotaciones** constituyen un discurso eminentemente pragmático: son instrucciones para la puesta en escena, aunque a veces tienen una tonalidad lírica, sin que esto implique la eliminación de su valor funcional. Se ha pretendido explicar las acotaciones del drama como una especie de narración o descripción hecha por un «narrador básico», pero tal explicación es poco plausible porque falta en el drama la subordinación del diálogo a la narración, como ocurre en la novela, y sobre todo porque el drama existió mucho antes de que existieran las acotaciones. (Véase «acotación», «deíxis», «coro», «discurso», «voz», «lenguaje teatral»).

lenguaje teatral

El conjunto de sistemas de signos, verbales y no verbales, de una obra puesta en escena. Comprende el diálogo, el vestuario, la escenografía, etc. (Véase «lenguaje dramático», «signo»).

libreto

Texto dramático distribuido a los actores y al personal técnico. Suele contener anotaciones escénicas del director y/o del actor/actriz, generadas durante los ensayos. En el teatro lírico, se llamaba **libretista** al autor de los parlamentos y de la letra de los segmentos cantados, y **maestro** al compositor de la música.

lírico; teatro lírico

Espectáculo teatral con música. Consta de escenas o cuadros bailados, cantados y dialogados. Ejemplos: la zarzuela o la revista. En este contexto, los historiadores y críticos suelen referirse a «compañías líricas» (v. gr., las que escenifican zarzuelas), o a una obra del «género lírico», en contraposición a una pieza del «género dramático» (o sea, no musical); y tratándose del «género chico», distinguen por ejemplo entre «sainete hablado» y «sainete lírico». Los dos elementos textuales básicos de toda obra lírica son el libreto y la partitura. (Véase «libreto», «revista», «tiple», «zarzuela»).

litúrgico; teatro litúrgico

En la Edad Media hubo en toda Europa un teatro litúrgico, que estaba vinculado a los oficios y celebraciones religiosas de la Iglesia cristiana. Dichas representaciones se hacían en latín, actuadas por clérigos, y se llevaban a cabo dentro de los templos o en sus atrios. (Véase «medieval», «platea», «mansión»).

loa

1. Género breve y laudatorio que solía representarse antes de la obra principal, durante el Barroco español e hispanoamericano. Su propósito fundamental era doble: preparar al público para el espectáculo central y celebrar a alguna persona actual ilustre o algún acontecimiento reciente notable. 2. En algunas fiestas teatrales folklóricas todavía existentes, loa es una recitación en alabanza de una figura sagrada o de una persona importante, y quien la ejecuta se llama **loero/a** o **loente**.

luneta (Véase «platea»).

mansión

En el teatro medieval litúrgico realizado en el interior de las iglesias, mansiones o **sedes** eran las estructuras escénicas fijas destinadas a simbolizar un lugar de la acción dramática. Las mansiones eran pequeñas y estaban distribuidas en varios lugares del templo. Para la escenificación del *Misterio de la Asunción* de Tarragona, en Cataluña, por ejemplo, era preciso construir cinco sedes: la casa de la Virgen, el cielo, el infierno, una barraca para los judíos y un monumento. (Véase «platea»).

mapeo de sala

Ardid mediante el cual los taquilleros venden los boletos saltando asientos y filas para que el público no se aglomere en un solo sector y así la sala no se vea muy vacía, si el espectáculo no va bien en las ventas.

maquillaje

Arte de realzar o disfrazar los rasgos naturales de los actores, mediante afeites, cosméticos, pinturas, anteojos, barbas y cabellos postizos, etc. En cierto modo es como la máscara antigua, en cuanto que el propósito fundamental de ambos es transmutar el semblante de un actor o actriz en el de un personaje. **Maquillaje de fondo** es la primera capa de maquillaje que se ponen los actores, utilizando bases de parafina, lanolina y otros productos, y varios pigmentos.

maquinista

Técnico que gobierna las máquinas (poleas del telar, etc.) del escenario.

marco teatral

Estructura conceptual que los actores y espectadores adscriben al espectáculo teatral y que rige su comportamiento en él. Las premisas fundamentales de esa convención, como ha señalado Erving Goffman, son que los espectadores reconocen que la representación teatral es una realidad alternativa y ficticia presentada por personas que actúan (representan), y que ellos (los espectadores) no tienen ni el derecho ni la obligación de participar directamente en dicha representación. El público teatral distingue perfectamente lo que es realidad teatral de lo que no lo es, y dicha distinción, como bien ha hecho notar Keir Elam, es reforzada por una serie de marcas temporales y espaciales simbólicas (v. gr. el oscurecerse de las luces en la sala, la línea de tiza demarcatoria del espacio lúdico en los espectáculos callejeros).

marioneta
Figurilla que es movida por hilos en un escenario de pequeñas dimensiones. (Véase «títere»).

máscara
Cobertura facial, hecha de cuero, cartón u otros materiales, utilizada en el teatro antiguo y a veces también en algunas formas teatrales contemporáneas, y en ciertos espectáculos parateatrales como el carnaval o la danza tradicional. La máscara ha existido en todas las culturas y es tan antigua como la humanidad. En el teatro clásico griego, la caracterización hecha por los actores estaba auxiliada por una máscara relativamente genérica con rasgos indicadores de sexo, rango social y humor, que llevaban sobre el rostro. Bertolt Brecht hizo uso de la máscara como recurso distanciador. (Véase «actor», «personaje»).

mascarada
Fiesta o desfile de personas enmascaradas. En algunos países europeos durante los siglos XV y XVI, la mascarada era una función cortesana con bailes, canciones y diálogo, que concluía con un baile de máscaras en que participaban los espectadores, para deleite del rey y su corte.

medieval; teatro medieval
Durante la Edad Media las principales formas teatrales en Europa fueron de carácter religioso y alegórico, cuyo propósito era entretener, pero ante todo instruir. Algunas de ellas eran las llamadas «moralidades», «ejemplos», «misterios» o «milagros», y los «autos». Los temas tenían que ver con la Biblia o con milagros y vidas de santos. Los espectáculos se realizaban en iglesias y plazas en días festivos, primero en latín y con el paso del tiempo en lenguas vernáculas. Los dramas litúrgicos eran representados por clérigos y posiblemente también por monjas, al menos en los papeles masculinos y femeninos principales. No es mucho lo que se sabe acerca del teatro de esa época en España, y los pocos textos existentes (casi siempre fragmentarios) tienen que ver sobre todo con el teatro litúrgico en Cataluña, donde se escenificaban autos, misterios y «profecías sibilinas», según documentos que aluden a una actividad teatral que se remonta al siglo XI. La muestra más interesante del teatro medieval castellano (toledano) es el *Auto de los Reyes Magos*, de fines del siglo XII, de autor desconocido, que es el texto dramático en lengua románica más antiguo que se conoce. Es interesante observar que aún quedan vestigios de algunas de esas formas de origen medieval, como en el llamado *Misterio de Elche* en España, las *posadas* en algunos países hispanoamericanos, y el *Drama de la pasión* en ambas regiones y en las Filipinas. (Véase «platea», «mansión», «misionero»).

melodrama
Obra de visos serios y aun trágicos que busca efectos emocionales por la violencia de las situaciones y la exageración de los sentimientos de los personajes. Suele tener elementos de comedia, como el personaje-tipo y el fin feliz. Lo fortuito juega un papel importante en el desarrollo y en el final de la trama, la cual suele ser bastante intrincada. Muchas veces la acción se sitúa en lugares exóticos. El melodrama privilegia lo emotivo sobre lo ideológico, lo moral sobre lo intelectual. En el mundo del melodrama, el bien y el mal están claramente diferenciados, y los villanos tienen que ser castigados, y los buenos, premiados. Sus temas favoritos son triángulos amorosos, venganzas, enfermedades incurables, infidelidades conyugales, relaciones amorosas a través de barreras generacionales o de clase, etc. Es la forma predilecta de las llamadas «telenovelas» y de muchas películas de gran éxito de público. Aunque el término suele tener connotaciones peyorativas entre los críticos, el género es de gran aceptación en amplios sectores del público. (Véase «telenovela»).

mensaje
En la teoría de la comunicación aplicada al teatro, mensaje no es la moraleja o lección ética de una obra, sino todo el contenido semántico y estético que se transmite a través de los diversos canales que operan en un espectáculo. Hay pues un mensaje lingüístico, uno gestual, otro musical, etc., y todos ellos constituyen el mensaje teatral global que percibe el espectador.

metadrama (Véase «metateatro»).

metateatro
Una forma dramática o teatral cuyo contenido es, en algún nivel, el teatro mismo. Una situación metateatral típica es aquélla en que los personajes (todos o algunos de ellos) se convierten en actores, de modo que la obra que los personajes representan (la obra interna) se entiende subordinada a otra que sirve como de marco. Pero las piezas metadramáticas más interesantes son aquéllas en que se mezclan las dos (o más) capas de realidad dramática. Richard Hornby distingue varias formas de metadramaticidad: drama dentro del drama, ceremonia dentro del drama, juego de roles (*role-playing*) dentro del rol, referencias literarias y de la vida real, etc. Obras metadramáticas famosas son *Hamlet* de Shakespeare (Inglaterra, 1564-1616), *Seis personajes en busca de autor* de Luigi Pirandello (Italia, 1867-1936), y en el ámbito hispánico, *El gran teatro del mundo* de Pedro Calderón de la Barca (España, 1600-1681), *Un drama nuevo* de Manuel Tamayo y Baus (España, 1829-1898) y *Saverio el cruel* de Roberto Arlt (Argentina, 1900-1942). En el teatro épico de Bertolt Brecht y otras manifestaciones escénicas del siglo XX, el teatro se convierte en una forma

lúdica y auto-reflexiva tal que puede decirse, sin forzar mucho el concepto, que una característica distintiva del teatro contemporáneo es la metateatralidad.

método

Con este nombre se conoce al sistema de actuación realista desarrollado por el norteamericano Lee Strasberg (1901-1982) y promovido como el *method acting* desde el Actors' Studio de Nueva York, dirigido por él. El sistema se basa en las enseñazas de Konstantin Stanislavski (Rusia, 1863-1938), quien propuso el auto-conocimiento del actor como la clave para una caracterización verdadera y convincente. Strasberg ha formado a numerosos actores que han destacado en el teatro y el cine de Estados Unidos. La escuela de Stanislavski, directamente o a través de Strasberg, ha sido acogida con entusiasmo en muchas partes del mundo. (Véase «superobjetivo»).

milagro

El milagro o misterio era una pieza dramática de asunto religioso, compuesta en lengua vernácula, no en latín, y escenificada por legos, no por clérigos, hacia fines de la Edad Media en toda Europa. (Véase «teatro medieval»).

mimesis o **mímesis**

Esta palabra significa literalmente «imitación» en griego. Aristóteles la usa en este sentido y también como «representación» y «recreación» de algo. El filósofo contrapone mimesis directa (teatro) y mimesis indirecta (narración), que son las dos maneras como la literatura «imita» a la vida. La tragedia, dice, representa («imita») a hombres en acción, no en forma narrativa, indirecta, sino en forma de *praxis* (acción directa). Son los actores los que representan la acción directamente, sin mediación de ningún otro agente. En ello radica lo específico del teatro.

mímica

Arte de imitar o de expresar con gestos o ademanes.

mimo

La palabra tiene la misma etimología griega que *mimesis*, que quiere decir imitación, y se usa en el teatro con dos sentidos principales. 1. Actuación sin palabras, basada exclusivamente en la expresión corporal. El término también se aplica al ejecutante de tal actuación (por ejemplo, «el mimo francés Marcel Marceau»), y a veces aun al actor que sobresale por sus gestos, aunque tenga partes habladas («el mimo mexicano Cantinflas»). **Mimodrama** es el libreto que consta sólo de acotaciones, escrito para tal clase de representación. 2. En el teatro griego y romano antiguos, mimo era una forma teatral popular de tipo satírico, que tenía elementos de danza, de improvisación y de circo. Los papeles femeninos eran desempeñados por mujeres, fenómeno excepcional hasta entonces. En el primer siglo d. C. los temas y el lenguaje de los mimos se hicieron más atrevidos, lo cual ocasionó el antagonismo de oficiales de la religión cristiana hacia el teatro, oposición que se mantendría por muchos siglos. (Véase «atelana», «pantomima»).

mise en scène (Véase «puesta en escena»).

misionero; teatro misionero o **evangelizador**
Los primeros misioneros ibéricos que llegaron a América adaptaron algunas formas del teatro medieval («ejemplos», «autos», «misterios») para instruir a los indígenas en la doctrina cristiana. Esas formas sufrieron alteraciones considerables debido a las peculiaridades culturales de los indígenas, que tenían sus propias tradiciones teatrales. Las representaciones se hacían en las plazas, en las iglesias (a veces en «capillas abiertas») o en sus atrios, con actores indígenas, en lenguas aborígenes, y con un decorado a menudo muy elaborado y vistoso. Uno de los espectáculos más antiguos de ese teatro misionero de que tenemos noticia fue un ejemplo (*nexcuitilli*, en náhuatl) llamado *Juicio final*, cuyo propósito era atacar la costumbre de la poligamia entre los indios, que se realizó en Tlatelolco, México, en 1532. Aunque son muy pocos los textos que nos han llegado (v. gr. el auto anónimo *Adoración de los Reyes*), y éstos relativos predominantemente a México, hay suficientes testimonios dejados por los cronistas, que hablan de una intensa actividad de cristianización a través del teatro en el siglo XVI en varias regiones de América.

misterio (Véase «milagro»).

mitote (Véase «areíto»).

mojiganga
Obra menor, jocosa, con que se entretenía al público en los entreactos de una comedia durante la Edad de Oro en España. La música y los disfraces le daban un especial aire carnavalesco.

monólogo
Parlamento dicho por un intérprete que está solo en escena. El monólogo puede tener la extensión de un acto o de una obra. A veces se confunde con soliloquio. Cuando la duración del monólogo corresponde a la de la obra, se llama **monodrama**: ejemplos destacados son *La voz humana* de Jean Cocteau (Francia, 1889-1963) y *La señorita Margarita* (1973; *Apareceu a Margarida*, en portugués) del autor brasileño Roberto Athayde.

montaje (Véase «puesta en escena»).

moralidad
Pieza teatral alegórica y didáctica de la Edad Media, de intención moral, originada en Francia. Probablemente era escenificada por actores profesionales, no por clérigos. Los personajes representaban ideas tales como la virtud y el vicio, y se llamaban Caridad, Avaricia, etc.

morbo
En México y otros países se utiliza este vocablo para referirse al uso del desnudo y otros recursos semejantes con el fin de atraer público.

morcilla
Palabras o parlamentos no incluidos en el libreto, que un actor o actriz improvisa para lucimiento personal o para provocar la risa y así lograr una mejor relación con el público.

motivo
Esquema conceptual y estructural típico, que reaparece en una gran variedad sincrónica y diacrónica de textos, como el motivo del viaje, el del hijo rebelde, el de la casa sellada, el de la búsqueda del padre, el de la esposa infiel, etc. El análisis de los motivos es común entre los estudiosos de orientación estructuralista.

mundo dramático
Es el universo de la ficción dramática, con sus personajes, sus eventos y sus códigos. Aunque suele decirse que el mundo dramático es reflejo o respuesta al mundo empírico, siempre es ante todo una representación. (Véase «representación»).

murga
Grupo de músicos que recorren las calles con el propósito de atraer público para algún espectáculo teatral. De uso frecuente en los festivales.

music hall
Equivalente británico del «vaudeville» francés, el «music hall» es un espectáculo popular de variedades, compuesto por varios números de diversa índole, ejecutados por grupos de artistas o por actores solos, con el propósito primordial de divertir al público. Contiene diálogo, canciones y aun números de circo.

mutación
Acotación para indicar cambio escénico. Esta didascalia, frecuente en los textos de zarzuelas y de revistas, implica por lo general un nuevo cuadro. (Véase «cuadro»).

mutis
Hace «mutis» el actor/personaje que se retira del escenario. Término desusado hoy en día.

N

narrador o **personaje narrador**
Aplicado al drama, el término remite al personaje que refiere acontecimientos no directamente dramatizados en escena, o que los introduce o comenta, si se representan en el escenario. El narrador dramático es un personaje, y está también en escena como otros personajes que no narran. En ciertas obras experimentales, en vez de personajes presentes que narran, sólo se escucha una voz relatora. El personaje narrador es un recurso frecuente en el teatro épico.

naturalismo
Estilo de dramaturgia y de escenificación que busca presentar el mundo dramático como si fuera copia exacta de la realidad empírica, como arrancado directamente del mundo real (cual una «tajada de vida»), particularmente en sus aspectos más deprimentes. Pone énfasis en la exactitud de la representación (en el diálogo, el vestuario, el decorado, etc.) y en la explicación «científica» de la conducta humana. El determinismo ambiental (fuerzas económicas y sociales) y el hereditario, que consideran al ser humano como producto y víctima de su medio ambiente y de su herencia biológica, son parte importante del sustrato filosófico del Naturalismo. Este estilo surgió en Europa a fines del siglo XIX y fue muy cultivado en Francia y Rusia. Su principal teórico fue Emile Zola (Francia, 1840-1902), y su más destacado promotor escénico, André Antoine (Francia, 1859-1943) desde su Théâtre Libre de París.

neogrotesco (Véase «grotesco criollo»).

nudo
Parte del drama en que se complica la acción y que precede al desenlace. Corresponde a enredo, enlace o desarrollo. Ya Aristóteles se refirió a este concepto al distinguir en la trama de la tragedia dos partes principales: «Llamo nudo [*desis*, en griego] en la tragedia lo que va desde el principio hasta aquella parte última en que se trueca la suerte hacia buena o hacia malaventura; y desenlace [*lisis*], la parte que va desde el comienzo de tal inversión hasta el final» (*Poética*, capítulo XVIII).

objeto dramático, objeto escénico
Cualquier cosa virtual o realmente visible que, junto con los personajes, llena el espacio dramático o escénico. Hay objetos que sirven para indicar un lugar determinado (v. gr., mesa, mantel y sillas para indicar comedor), y otros que tienen una significatividad especial («poética» o «simbólica») en relación con los eventos o personajes del drama (un carruaje, una gaviota embalsamada, etc.).

obra de teatro u **obra teatral**
Es una instancia específica de representación teatral, realizada por actores ante un público que tiene conciencia de estar viendo teatro. Es una obra del género dramático en cuanto **vista** en el teatro, no en cuanto leída. Dura lo que dura la representación teatral: no existe ni antes ni después de la representación. Cuando vamos al teatro decimos que vamos a «ver una obra de teatro», no a «ver una obra dramática». (Véase «texto teatral»).

oda coral
Forma lírica típica del estásimo de la tragedia griega clásica.

off-broadway
Las producciones teatrales neoyorquinas que tienen lugar en teatros relativamente pequeños fuera del circuito comercial más notable del teatro estadounidense, el del distrito de Broadway y Times Square en la ciudad de Nueva York, se conocen como el teatro de «Off-Broadway». Antes dichas producciones se caracterizaban por ser más audaces y experimentales que las de Broadway, y por estar basadas en un repertorio más variado. En la actualidad las diferencias son menores, y Off-Broadway se ha convertido en una especie de antesala (de boletos no tan caros) para Broadway. (Véase «teatro experimental»).

ópera
Drama serio de mucha fantasía en que la música y el canto son esenciales. Sus escenificaciones hacen uso de un decorado muy complejo y costoso, y son por lo general muy espectaculares. Los temas favoritos de las óperas suelen ser los grandes mitos nacionales o de la antigüedad. Este género se originó en Italia a principios del siglo XVII y de allí se diseminó por el resto de Europa. (Véase «zarzuela»).

ópera bufa

Opera cómica, originada en Nápoles a mediados del siglo XVIII, que parodiaba a la ópera seria. El diálogo era cantado por la mayor parte, de tono sentimental y con frecuencia satírico. Conocida en Francia como *opéra comique.*

opereta

Opera de tema ligero, derivada de la ópera cómica o bufa, en la que los actores cantan y dialogan alternativamente. El ambiente suele ser festivo; las canciones, cadenciosas; los diálogos, ingeniosos; las situaciones y los personajes, humorísticos; la trama, de enredo y de fin feliz. Su auge duró en Europa de 1840 a 1940 aproximadamente. Autor de gran popularidad dentro y fuera de Europa fue Jacques Offenbach (Francia, 1819-1880). La opereta francesa solía incluir elementos de sátira social y política. La opereta vienesa era más sentimental y menos satírica.

oprimido; teatro del oprimido

Conjunto de propuestas y técnicas dramatúrgicas y escénicas del brasileño Augusto Boal (1931), tendientes a ayudar al público a liberarse de varios tipos de opresión, dadas a conocer en *Teatro del oprimido y otras poéticas políticas* (1974). Boal opone a la poética aristotélica, que él considera opresiva por fundamentarse en la catarsis y en la pasividad del espectador, una poética de cuestionamiento y activación. Una de sus premisas básicas es que es necesario hacer más activa la participación de los espectadores y establecer un auténtico diálogo entre escena y público, lo cual no ocurre en el teatro convencional, donde la comunicación es unidireccional, monológica, autoritaria, con privilegio del escenario y en desmedro del espectador, y donde éste absorbe visiones acabadas del mundo, sin que le sea posible cuestionarlas. Otra idea importante es que, una vez que el espectador abandone su condición de mirón y asuma un papel de «actor», como propone el teatro del oprimido, entonces será capaz de ensayar en el teatro acciones para su liberación en la vida real, para lo cual deberá apropiarse de los medios de producción teatral. El teatro del oprimido está orientado a públicos de los estratos populares y medios, y ha sido puesto en práctica por su sistematizador en varios países de América y Europa. Entre las diversas formas del teatro del oprimido, se encuentran: el sistema comodín, el teatro periódico, el teatro-foro y el teatro invisible, que aparecen definidas separadamente en este glosario.

oratorio

Drama musical de asunto religioso.

orquesta

En el teatro griego antiguo, área circular o semicircular central situada entre la **skene** y el graderío del público, donde se realizaba parte de la representación. (Véase «foso de la orquesta»).

ostensión

Según Umberto Eco, el teatro se fundamenta en la instancia más básica de representación, que consiste en mostrar u ostentar (en su sentido etimológico) personas, objetos y eventos, en lugar de describirlos o explicarlos.

pacto teatral

Durante una representación teatral existe un pacto tácito entre actores y espectadores, mediante el cual se acepta que aquéllos **son** las personas que pretenden ser, y así conjuntamente se crea un mundo imaginario. El pacto implica también la aceptación de las reglas del juego, una de las cuales es que los espectadores no tienen ni el derecho ni la obligación de participar en lo que ocurre en escena: ellos sólo miran, los otros actúan. Y como todo pacto artístico, está sujeto a los intentos de transgresión más o menos atrevidos de las vanguardias.

palco

Sala pequeña, semiprivada, de asientos relativamente lujosos, para cuatro o más personas. **Palco de proscenio** es el que está junto a la parte frontal del escenario. Tradicionalmente los palcos han estado reservados para la gente de dinero o de los más altos niveles sociales. El contraste entre los palcos y otras secciones del auditorio, como las galerías, muestra ostensiblemente el concepto clasista que ha regido la construcción de innumerables edificios teatrales.

pánico escénico

Nerviosidad intensa que suelen sentir los actores antes de aparecer en escena, y que puede tener características de pánico entre los actores menos duchos. Corresponde al inglés *stage fright.*

panorámica

Cortina semicurva lisa que circunda el área de actuación por la zona de foro y parte de los lados del escenario, y que suele tener pintados paisajes panorámicos. (Véase «ciclorama»).

pantomima

1. Arte de expresarse sólo con gestos y movimientos. La representación teatral hecha con tales recursos expresivos. El actor de pantomimas suele llamarse **mimo**. En el teatro y cine modernos la pantomima ha adquirido gran importancia con Chaplin, Brecht, Marceau, entre otros. Aunque el arte pantomímico suele estar asociado con espectáculos unipersonales, hay casos de grupos teatrales que representan colectivamente elaboradas historias sirviéndose únicamente de la expresión corporal, como el Teatro del Silencio, de Chile. 2. Antiguamente, fue una forma de representación improvisacional y sin palabras, ejecutada por un solo actor que desempeñaba varios papeles con el auxilio de máscaras y acompañamiento musical. La

pantomima llegó a reemplazar a la tragedia y gozó de mucha popularidad entre la *élite* romana. 3. En la Gran Bretaña, pantomima es una forma de diversión navideña generalmente orientada al público infantil, derivada de la *Commedia dell'arte* y la arlequinada, de contenido muy variado, inclusive cuentos de hadas. Puede incluir formas inofensivas de travestismo y participación de los espectadores.

papel o **rol**
Parte del texto dramático representada por un actor o actriz. Se utiliza cada vez más en castellano el sinónimo **rol**, de origen francés.

parábola
Forma dramática medieval similar a la moralidad, en la que se contaba una historia aleccionadora extraída de la Biblia. En la época moderna, la parábola ha sido utilizada por Brecht, también con intención aleccionadora, pero de índole política: tal la historia de las dos madres que se disputan al hijo, con que culmina *El círculo de tiza caucasiano.*

parateatral
Relacionado al arte teatral, sin que se ajuste a sus convenciones más estrictas. La danza tradicional, el carnaval, el circo son espectáculos parateatrales.

parlamento
Línea o líneas de diálogo que dice cada actor o personaje.

parodia
La parodia propiamente dicha es una imitación burlesca de una obra literaria seria. Numerosas piezas del «género chico» sustentaron su éxito en tal recurso, en especial las que tenían por blanco el *Don Juan Tenorio* de Zorrilla. Con sentido menos preciso, se usa este vocablo como sinónimo de cualquier obra burlesca o satírica.

párodo
1. En el teatro griego clásico, el primer canto del coro, ejecutado mientras éste entraba al teatro y se dirigía a la orquesta. 2. También el lugar por donde entraba el coro a la orquesta.

parrilla del telar
Estructura de vigas delgadas que cuelga sobre el escenario, de la cual, por medio de un sistema de poleas y cuerdas llamado «telar», están suspendidas unas tiras de madera denominadas «varas», donde se fijan telones y bambalinas. De la parrilla cuelgan también diversas piezas del equipo de iluminación.

partiquino
Cantante que ejecuta una parte de escasa importancia en una pieza musical.

paseante
Personaje del teatro de revista que pasea por una localidad «pasando revista» a acontecimientos recientes y comentándolos.

paso
Pieza dramática breve, cómica, de diálogo realista, sin música, propia del teatro clásico español. Los pasos mejor conocidos son los de Lope de Rueda (1505?-1565).

pastorela
Género dramático religioso, de origen medieval, derivado de los autos de Navidad. Consiste en una representación, con diálogo, canto y danza, cuyo propósito es celebrar el nacimiento de Jesucristo. En ella se recrean las aventuras que sufren los pastores en su camino a Belén para rendir homenaje al Niño Jesús. Sus personajes principales son: los pastores, San José, La Virgen María, San Miguel, los demonios, Gila y un ermitaño. Durante la Conquista de América, los frailes españoles utilizaron este género dramático para cristianizar a los indígenas. Una especie de pastorela que todavía se representa en México y otras regiones latinoamericanas son las llamadas **posadas**.

pathos
Término aplicado por Aristóteles a los sufrimientos del héroe trágico, que suscitan conmiseración y temor en el espectador. De ahí que, modernamente, el vocablo designe una escena o pasaje que evoca en el público sentimientos de ternura, piedad o tristeza, en simpatía con el personaje, fenómeno frecuente en el melodrama. (Véase «calamidad»).

patio de butacas
Parte baja y central del auditorio.

periódico; teatro periódico o **periodístico**
Llamado en portugués *teatro jornal*, éste es un método de creación y de representación teatral desarrollado por el brasileño Augusto Boal (1931) y su grupo de teatro, a finales de la década de 1960. El método se sustenta en la lectura recontextualizada de informaciones periodísticas, discursos oficiales, estadísticas, anuncios comerciales, etc., por parte de actores profesionales o aficionados, con el propósito de desentrañar el sentido oculto y las implicaciones ideológicas de las informaciones que absorbe el público a diario. Los espectáculos de teatro periódico se realizaban en calles, plazas y otros espacios no convencionales, en un momento de mucha represión política en Brasil. Antecedente remoto de esta modalidad de teatro callejero puede considerarse el *Living Newspaper* norteamericano de los años treinta y ciertos experimentos de Erwin Piscator. (Véase «oprimido»).

peripecia

1. Conocida también como **peripeteia** por su etimología griega, peripecia significa el cambio de fortuna del héroe trágico, desde un estado de prosperidad a un estado de miseria física o moral. 2. Este concepto puede aplicarse específicamente al momento en que tal cambio ocurre, como cuando en *Edipo Rey* un mensajero le informa al protagonista que sus padres naturales no son Pólibo y Mérope, como él creía.

personaje

Persona imaginaria que habita el mundo dramático, ya sea en el nivel textual o en el escénico. Esta acepción proviene de la palabra latina *persona*, o sea «máscara», en alusión a la careta (simbólica del rol) que portaban los actores en el teatro. Aristóteles, que privilegia la acción entre los diversos elementos constitutivos del drama, dice que el personaje es únicamente el «agente» de la acción. Es evidente que personaje y acción están íntimamente entrelazados: la acción dramática no es sino personajes en acción. El filósofo griego especifica cuatro características psicológicas y formales en el personaje ideal de la tragedia: bondad general, consistencia, verosimilitud y propiedad.

El lector/espectador conoce al personaje y su carácter paulatinamente, a través de lo que dice y hace él, de lo que dicen otros personajes de él, de su relación con otros personajes. Además el lector puede recibir información adicional útil sobre el personaje en las acotaciones del texto. (Véase «carácter»).

personaje coral

Personaje secundario que procura elucidar la tesis de la obra o que ofrece generalizaciones sobre algún aspecto de la acción, y que cumple por esto una función explicativa y de orientación ideológica semejante a la del coro griego clásico. También como el coro griego, el personaje coral es estático, permanece al margen de la acción principal. Este personaje suele llamarse también *raisonneur* (razonador). Con frecuencia representa la voz del autor. El gracioso del teatro del Siglo de Oro español a menudo cumple una función de razonador, aunque su participación en la acción dramática principal suele ser más activa que la del personaje coral usual. (Véase «coro», «gracioso»).

personaje escindido

Es el personaje que aparece dividido internamente por fuerzas divergentes. Modelos de personaje escindido son Hamlet y Segismundo. El término tiene especial aplicación al teatro de Bertolt Brecht, quien a propósito busca quebrar la unidad («aristotélica») del personaje dramático, presentándolo contradictorio, en conflicto entre la razón y el instinto, atrapado en importantes dilemas (como la famosa Madre Coraje, que lucha entre su sentido materno y la necesidad de sobrevivir en circunstancias económicas muy difíciles).

personaje-tipo

Personaje típico, caracterizado con rasgos físicos o psicológicos sobresalientes y simplificados que lo hacen inmediatamente reconocible. En toda época o movimiento teatral existen tales personajes. Algunos ejemplos: el gracioso o el galán del Siglo de Oro, el «golfo» (pillo) o el «hortera» (empleadillo de comercio) del teatro costumbrista español, el «tano» (napolitano, italiano) del sainete criollo argentino, o la «xchupalita» (joven india, candorosa y alegre) del teatro yucateco. Cabe decir que todo personaje es reconocible como una variante de personajes-tipo del teatro de todos los tiempos, como el bufón, el soldado fanfarrón (*miles gloriosus*), el padre autoritario (*senex iratus*), el anciano sabio, el pedante, el mentiroso, el joven amante, la jovencita ingenua, el villano, el vengador, etc. Estos modelos básicos suelen guiar a los espectadores o lectores en la percepción y caracterización de los personajes de una obra particular, aun de aquéllos que no son, estrictamente hablando, personajes-tipo.

pescante

Aparato que sirve para hacer subir o bajar en el escenario a personas o figuras.

pie o **entrada**

Palabras finales de un parlamento que dan «pie» al siguiente, y que alertan a otro actor, actores o técnicos.

pièce bien faite

En Francia se conocía con esta denominación a un tipo de obra dramática que privilegiaba la estructura, en particular el desarrollo lineal de la acción. El momento culminante de una «pieza bien hecha» era la «escena obligatoria», en la que se enfrontaban el protagonista y el antagonista. Hoy suele usarse esta expresión en sentido peyorativo para designar una obra que da énfasis a la forma y que no pone suficiente interés en la seriedad del asunto o en la profundidad del planteamiento. La pieza bien hecha fue favorita de Eugène Scribe (1791-1861) y de Victorien Sardou (1831-1908).

pieza

1. En términos generales, pieza equivale a obra dramática. 2. En un sentido más esctricto, se refiere a una obra seria que trata temas contemporáneos oportunos, preferentemente de índole social. El origen de esta segunda acepción es francés *(pièce)* y data de comienzos del siglo XIX. Rodolfo Usigli se esforzó por aclimatar esta forma dramática en México.

pieza didáctica
Denominación que dio Bertolt Brecht *(lehrstrück)* a varias obras (*La excepción y la regla*, *El que dice que sí*, etc.) que compuso entre 1926 y 1933, su época más doctrinaria. Al referirse a ellas, insistió en que eran piezas para enseñar y divertir. (Véase «didáctico»).

pirámide de Freytag (Véase «estructura dramática»).

plafón
Elemento del decorado que simula el cielo raso.

platea
1. También llamada patio de butacas o luneta, es el espacio central de la sala, que está rodeado por los balcones, palcos y galerías. La **platea alta** o **balcón** es el área de asientos que, vista desde el escenario, está detrás y arriba de la platea central. Puede haber varios niveles de plateas altas, que se designan con varios nombres. 2. En el teatro litúrgico medieval realizado dentro de las iglesias, platea era el área de actuación, que era flexible y podía incluir toda la nave central. (Véase «galería»).

pobre; teatro pobre
Método de representación teorizado y divulgado por el director polaco Jerzy Grotowski (1933) en los años sesenta y setenta, que se fundamenta en la expresión corporal del actor y que desecha o desenfatiza, como accesorios, los otros elementos del montaje (vestuario, escenografía, etc.). Por su naturaleza, es un teatro destinado a un reducido concurso de público.

poética; arte poética
Conjunto de principios y normas relativos al arte de la poesía y de la literatura en general. Las poéticas clásicas más célebres son la de Aristóteles (384-322 a. C.) y la de Horacio (65-08 a. C.). La poética dramática de Aristóteles se centra en el análisis de la estructura y de los efectos catárticos de la tragedia, y la de Horacio, en la prescripción de normas para la composición dramática. También Lope de Vega escribió una poética, titulada *Arte nuevo de hacer comedias en este tiempo* (1609), en que define el drama o «comedia nueva» en términos de tragicomedia, afirma el principio de verosimilitud y defiende la libertad artística y la función entretenedora del teatro. Aunque insiste en que es preciso dar «gusto» al público, también alude a la necesidad de edificarlo con temas de honra y de virtud. En el siglo xx destacan las poéticas propuestas por Bertolt Brecht y Augusto Boal. (Véase «arte poética», «épico», «oprimido»).

poético; teatro poético
Pieza dramática o teatral de asunto serio o trágico, en que predomina una atmósfera de misterio, fantasía o delicadeza lírica. La obra puede

estar escrita en prosa o en verso. Modelos de esta corriente dramática son varias obras de Federico García Lorca (España, 1898-1936; *Mariana Pineda, Yerma*) y de Conrado Nalé Roxlo (Uruguay, 1898-1970; *Una viuda difícil*). (Véase «lenguaje dramático»).

polifonía (Véase «voz»).

político; teatro político
Aunque algunos alegan que todo teatro es político por estar influido por las circunstancias sociopolíticas del medio y por transmitir explícita o implícitamente una ideología, el término se aplica con más precisión al teatro de agitación y propaganda política *(agitprop)*, como el que se dio en varios países americanos en las décadas de 1960 y 1970. (Véase *«agitprop»*).

popular; teatro popular
Podemos decir, para comenzar, que éste es un término amplio que se aplica al teatro destinado a la población marginada, ya sea urbana, suburbana o rural, obrera o campesina, o producido por ella. Añadamos que también se suele llamar popular al teatro que refleja la realidad de los sectores sociales marginados, haciendo uso de un lenguaje y unos recursos que tienen aceptación en esos sectores, quienquiera que sea el productor. Innumerables grupos comerciales, oficiales e independientes, a lo largo de la historia del teatro, se han propuesto hacer espectáculos populares. Con frecuencia los gobiernos han apoyado esta modalidad teatral como medio de indoctrinación, en tanto que muchas compañías independientes se han servido de ella para intentar promover el cambio social. El teatro folklórico, en sus formas más «incontaminadas», puede legítimamente considerarse teatro popular y con una fuerte raigambre en lo tradicional.

A través de la historia, las formas de teatro popular han sido innumerables: las farsas atelanas, la *Commedia dell'arte*, la zarzuela chica, el teatro de revista, el teatro de carpa en México, el sainete criollo en Argentina, etc. En todas ellas la calidad «popular» del lenguaje ha sido fundamental, pues eso hacía que los públicos populares se relacionaran fácilmente con el mundo dramático presentado en el escenario. Las expresiones «barriobajeras» del «género chico» madrileño de fines del siglo XIX, o el «cocoliche» del sainete criollo rioplatense de comienzos del siglo XX, o también el *Spanglish* del teatro chicano, son interesantes ilustraciones de ese lenguaje popular. Habría que añadir que ha sido siempre propio del lenguaje popular el humor, con frecuencia paródico, satírico o sexual: tales los sugestivos calambures del «género chico» o del sainete criollo, o los «albures» antirrevolucionarios o sicalípticos de la revista política mexicana.

La noción de marginación arriba mencionada es de particular importancia en este concepto de lo popular, pues implica la presencia de un grupo de poder que efectúa tal marginación, y supone potencialmente por consiguiente unas relaciones conflictivas entre centro y periferia, entre clase hegemónica y sectores subalternos. Los grupos subordinados pueden en efecto utilizar el teatro como arma de lucha cultural y política contra los detentadores del poder, como ha ocurrido muchas veces en diversos países, o por el contrario éstos pueden usarlo como instrumento de propaganda o indoctrinación, lo cual ha sucedido también a menudo. Ahora bien, si es cierto que hay formas teatrales claramente contestatarias entre los sectores subalternos, también lo es que hay ejemplos de teatro popular en esos ámbitos sociales, que reproducen los valores y la ideología de la clase dominante, en vez de impugnarla. Lo popular no implica entonces automáticamente una posición contestataria, como se ha dicho innumerables veces.

Otra acepción de popular que se aplica con frecuencia al teatro es la que equivale a masivo. Este sentido de popular tiene que ver con los productos culturales de gran aceptación en la población, como la música rock, los teledramas o los espectáculos teatrales al aire libre, también conocidos como «teatro de masas». Este es un sentido relativamente reciente de lo popular (como ha hecho notar Ernesto García Canclini), coincidente con el auge de los medios masivos de comunicación, que no hace sino entorpecer el concepto de teatro que nos ocupa, pues subraya el éxito, las grandes cifras de receptores, es decir algo realmente circunstancial. (Véase «folklórico», «oprimido»).

posadas (Véase «pastorela»).

practicable

Parte del decorado (puerta, ventana, escalera, etc.), que puede ser utilizada para sus fines específicos. Por tanto, una puerta pintada en el telón de fondo no es practicable.

practicantes

La gente de teatro que se dedica a las actividades más prácticas del oficio: el director, el actor, los escenistas, pero por lo regular no el dramaturgo, y desde luego nunca el teórico o el crítico.

precolombino; teatro precolombino

Algunas crónicas de la Conquista americana hablan de una actividad teatral entre los indígenas, vigente aun antes de la llegada de Colón. El Inca Gracilaso de la Vega (Perú, 1539-1616) afirma, por ejemplo, que en el Perú se representaban una especie de «tragedias» sobre los triunfos y las hazañas de los reyes pasados, y un tipo de «comedias» que tenían el propósito de enseñar técnicas agrícolas. Otros cronistas, como Gonzalo Fernández de Oviedo (España, 1478-1557) y Juan de Tovar (México, 1543-1626) se refieren a la existencia de un teatro-danza y de formas pantomímicas farsescas. Un texto, completo e interesantísmo, de teatro-danza que conjeturalmente se remonta a la época pre-hispánica entre los mayas es *Rabinal Achí.* (Véase «areíto»).

presagio

1. Técnica dramática, frecuente en las tragedias, que hace que el lector o espectador anticipe ciertos eventos. Esto puede lograrse a través de referencias o alusiones textuales o escénicas. El presagio es como una sombra que antecede al acontecer, como sugestivamente indica el vocablo inglés equivalente, *foreshadowing*. Esta prefiguración del porvenir contribuye, en la tragedia, a crear un ambiente de fatalidad. 2. Presagio significa también el vaticinio o predicción que hacían los sacerdotes en las tragedias clásicas griegas.

presentación

La primera de las tres partes mayores de la estructura dramática, en la que se presenta a los personajes principales, se introduce el conflicto y en general se ofrece la información necesaria para que el espectador o lector pueda seguir la acción del drama. Los antecedentes de la acción dramática (la «pre-historia» dramática) se proporcionan generalmente en esta parte de la estructura dramática. El reto para el dramaturgo consiste en hacer dramático algo que es esencialmente no dramático: informar sobre acontecimientos pasados. La presentación se conoce también con el nombre de **exposición**, por influencia de la crítica anglosajona.

primer actor y **primera actriz**

En la escuela escénica española tradicional, había una jerarquía actoral según la cual eran distribuidos los papeles. Así el «primer actor» y la «primera actriz» de una compañía eran quienes representaban a los personajes principales de la obra, aunque sus rasgos personales no acoplaran muy bien con el papel. Estos actores-estrellas tenían gran poder en las compañías de teatro, de las cuales solían ser también gerentes y dueños. Los otros actores sabían que una de sus funciones era contribuir al lucimiento de la estrella, quien debía ocupar en la escena el primer plano centro, mientras que ellos permanecían casi siempre en un segundo plano, a veces en un semicírculo de fondo para que resaltara la figura central. El actor o actriz/gerente con frecuencia comisionaba obras dramáticas a autores amigos y aun ejercía algunas de las funciones del director moderno. La técnica fundamental de actuación del actor-estrella era en esencia una técnica de declamación, que se remonta a la época pre-eléctrica, cuando, sin el apoyo de los sistemas modernos de amplificación, el actor pronuncia-ba sus parlamentos con mucha energía con el ánimo de ser escuchado en todos los rincones de la sala. A partir de los años mil novecientos veinte, varios grupos independientes o experimentales que se esforzaron por superar el sistema tradicional de escenificación lucharon también contra esa jerarquización actoral. Con todo, en ciertos ámbitos culturales todavía se utiliza esta terminología, aunque ya no conlleve la idea de rígida estratificación de antaño. (Véase «director»).

primer plano

El área de actuación más próxima a los espectadores, equivalente a «zona de batería». El **segundo plano** es la zona posterior del escenario, llamada también «zona de foro». Los directores y actores suelen dividir esos planos en derecha, centro e izquierda, y jerarquizan esos espacios, de modo que quien ocupe el «primer plano centro» (*downstage center*, en inglés) del escenario tiene, presuntamente, la probabilidad de recibir la mayor atención del público. (Véase «*blocking*», «primer actor»).

probabilidad y necesidad

Propiedades de la tragedia, según Aristóteles, todavía aplicables hoy, sobre todo en el teatro realista y naturalista. La probabilidad es aquella cualidad de un drama que hace creíble la acción. La necesidad, en cambio, tiene que ver con lo que es imprescindible en la trama y en la caracterización.

productor

Persona que organiza la realización de un espectáculo teatral y que es responsable por el aspecto financiero y comercial del mismo. El productor no participa en la dirección artística de la obra. En Inglaterra se llama productor al director.

profesional

1. En su sentido más limitado, persona que recibe remuneración económica por su desempeño en una representación teatral. 2. En un sentido más amplio, persona que, aun no siendo pagada por ello, realiza un trabajo escénico de alta calidad, comparable, supuestamente, a la de los profesionales *sensu strictu*. Opuesto a *amateur* (o aficionado).

programa (de mano)

Hoja o folleto para uso del espectador, que contiene el reparto de los papeles dramáticos y otros datos sobre el drama y su producción, y que ofrece los reconocimientos correspondientes. A veces los programas dividen las funciones de los participantes en las siguientes categorías: reparto (lista de los actores/actrices y sus papeles dramáticos), «creativos» (autor, dramaturgista, director, director musical, coreógrafo, diseñador de escenografía, diseñador de vestuario, diseñador de iluminación, asistente de dirección, etc.), «realizadores» (de utilería, pintura, carpintería, vestuario, escenografía, etc.), y «planta técnica» (traspunte, jefes de tramoya, iluminación, utilería, etc.).

prólogo

1. Monólogo introductorio que presenta el asunto de un drama. Está orientado a preparar al público, y a veces a enfrentarlo. Este recurso es de poco uso en el teatro moderno. 2. En la tragedia griega clásica, prólogo era la escena inicial, y no consistía necesariamente en un monólogo.

propiedad

Aquello que armoniza bien con la naturaleza de la acción y de los personajes. La doctrina de la propiedad, conocida como *decorum* en inglés y predominante en la dramaturgia renacentista y neoclásica, exigía, por ejemplo, que el estilo del diálogo fuera adecuado a la edad, sexo, rango social y ocupación del hablante y a la situación dramática en cuestión. Esta doctrina deriva de Aristóteles y Horacio, y fue defendida en España por Bartolomé Torres Naharro (¿1476-1531?) y por Lope de Vega (1562-1635), entre otros.

proscenio

Conocido también como **corbata** o **ante-escena**, es la superficie del escenario que queda delante del telón de boca. **Arco del proscenio** o **boca escena** es la abertura frontal del escenario que permite al público ver la escena. En inglés se llama *apron.* En algunos teatros modernos (teatro circular, por ejemplo) no existe el proscenio. (Véase «teatro a la italiana», «cuarta pared»).

protagonista

Personaje principal de un drama. Literalmente significa «primer agente» (de la acción). No es sinónimo de personaje. En el teatro griego original, cuando el drama se representaba con sólo dos o tres actores, el término se refería al actor principal, en tanto que a los otros dos se los llamaba «deuteragonista» (segundo agente) y «tritagonista» (tercer agente). Antagonista es el personaje que está en conflicto con el protagonista.

proxémica

Aplicada al teatro, es la técnica de la utilización del espacio como comunicación y sus códigos. Incluye el espacio escénico (el decorado, la iluminación), el interpersonal (entre actores, entre actores y espectadores, y entre espectadores) y el arquitectónico (configuración fija del edificio teatral). La proxémica fue sistematizada como rama de la antropología por el estadounidense Edward T. Hall, y ha sido aplicada al estudio del teatro de diversas maneras por varios autores. Como ha observado Keir Elam, muchos de los experimentos vanguardistas modernos han estado encaminados a la transgresión de la formalidad y grandiosidad de los espectáculos teatrales convencionales a que obliga la arquitectura de los grandes teatros.

psicodrama

Método psicoanalítico que hace uso de varios recursos propios del teatro con fines terapéuticos. Bajo la dirección de un analista y a veces en presencia de un pequeño público, el paciente recrea situaciones reales de su vida pasada o improvisa situaciones imaginarias, asumiendo su propio papel o el de personas allegadas a él. La meta es que la representación proporcione al analista claves sobre el trauma del paciente, para que éste pueda recibir el diagnóstico y el tratamiento correctos. Joseph L. Moreno, que estableció los fundamentos del psicodrama, lo definió de esta manera: «Conjunto de técnicas que, independientemente de toda ambición artística, si bien valiéndose de la interpretación teatral improvisada, tratan de desarrollar las disposiciones laterales, disimuladas o rechazadas de la vida mental, y sobre todo de la vida afectiva».

público

El público teatral es un conjunto de personas reunidas a una hora y en un lugar determinados para presenciar un espectáculo teatral. Los espectadores tienen conciencia de que lo que están mirando es una representación, un artificio, una realidad de ficción. Ellos saben que no tienen ni el derecho ni el deber de participar directamente en la acción escenificada, como no sea a través de reacciones tales como el aplauso o la risa. Pero su presencia, encima de ser fundamental para que haya espectáculo, afecta al menos la actuación, y los actores saben esto muy bien. Asimismo, los espectadores comparten de manera tácita ciertos códigos de conducta durante el espectáculo y se influyen recíprocamente en su respuesta ante la acción escénica, y todo ello hace que se integren en la colectividad que es precisamente el público. En la actualidad, el público para la mayoría de los espectáculos teatrales convencionales y experimentales está constituido por miembros de la clase media. (Véase «marco teatral», «recepción»).

puesta en escena

También denominada *mise en scène*, montaje o escenificación. 1. Montar o poner en escena un drama significa disponer todo lo necesario para escenificarlo. Es unir el texto dramático y el arte de la representación escénica. 2. Significa también su resultado, la interpretación del drama en el escenario ante un público. Comprende actuación, decorado, iluminación, etc.

punto de giro (Véase «crisis»)

quinésica (Véase «cinética»)

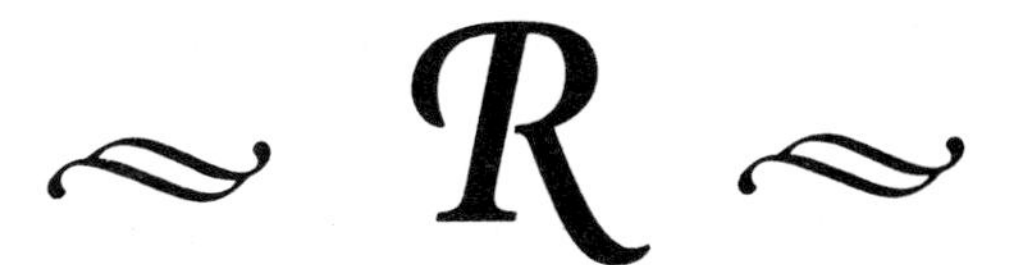

razonador (Véase «personaje coral»).

realismo
En la historia del teatro occidental, se conoce con este nombre a una forma dramática y escénica surgida en Europa a fines del siglo XIX, que intenta representar la vida como es, sin violar las apariencias convencionales ni el principio de verosimilitud. El criterio que prevalece en la selección de los temas, ambientes y personajes es el de lo ordinario y típico. Los personajes suelen ser de la clase media o trabajadora y no son representados como heroicos, sino como personas comunes y corrientes. La problemática es por lo general de tipo social o doméstico. El diálogo da la impresión de ser como el que uno escucha en la vida cotidiana, y a menudo gana en interés por regionalista. La puesta en escena busca reproducir en el escenario los detalles de la vida real. El realismo ha sido el estilo favorito de las compañías comerciales que han venido utilizándolo en los teatros a la italiana, desde fines del siglo XIX en el mundo occidental. El movimiento realista decimonónico se desarrolló en Europa como reacción contra las exageraciones del drama romántico. Notables autores realistas fueron Anton Chejov (Rusia, 1860-1904), Henrik Ibsen (Noruega, 1828-1906) y Benito Pérez Galdós (España, 1843-1920) en Europa, y Florencio Sánchez (Uruguay, 1875-1910) y Federico Gamboa (México, 1864-1939) en Hispanoamérica. Ha habido otras modalidades de realismo, como el realismo socialista, el realismo poético, el realismo artaudiano, etc., que se apartan de manera considerable del Realismo del siglo XIX.

recepción
En una función de teatro, la recepción por parte del público está determinada por una serie de factores. En primer lugar, por su grado de conocimiento de los códigos dramáticos y teatrales en juego (su «competencia»). También por su cultura literaria y teatral general, por su condición social, su ideología, su sexo, su edad, por el horizonte sociopolítico del momento, por la conducta de los otros espectadores, por las opiniones de los críticos, etc. Es decir que la recepción depende no sólo de lo que ofrece la escena, sino también de lo que ofrece el espectador y su contexto. (Véase «lectura»).

reconocimiento (Véase «anagnórisis»).

regidor

Supervisor de todas las operaciones prácticas del escenario, tales como la colocación exacta del decorado o la ejecución oportuna de efectos sonoros. Equivale a *stage manager* en inglés.

reparto

Distribución de los papeles de un drama entre actores y actrices, para su escenificación, por parte del director. Es lo mismo que *cast* en inglés. Esta información aparece en el programa de mano que recibe el espectador al entrar al teatro.

repertorio

1. Lista de obras presentadas por una compañía teatral. 2. Dramas que los actores de una compañía han ensayado debidamente y están preparados a representar sin necesidad de ensayos adicionales. Las compañías de repertorio de María Guerrero o Margarita Xirgu, digamos, eran capaces de ofrecer una considerable variedad de obras en cada ciudad que visitaban en sus giras por América, con frecuencia hasta dos dramas diferentes cada día, para beneficio del público local que así podía disfrutar de todas las obras de repertorio en una temporada corta.

reposición

Nueva escenificación de una obra ya estrenada en una temporada anterior.

representación

1. Acción de ejecutar en escena una obra dramática ante un público. Representar es hacer las veces de otro, lo cual atañe a la esencia misma del lenguaje teatral. En el teatro se cuenta una historia por medio de actores que hacen el papel de otras personas, y no por medio de un narrador. 2. Además de este sentido específicamente teatral, representación tiene otro más general relacionado con la imagen y manera con que se presenta algo. Ello implica una percepción, un modo de ver particular, y un sistema de valores de quien expresa esa imagen.

revista; teatro de revista

Espectáculo de diversión que surgió en el siglo XIX en Europa y que consta de canciones y bailes, y de escenas cómicas más o menos independientes, sobre temas de actualidad. El momento culminante de la revista es una escena de gran espectacularidad y fantasía, llamada «apoteosis», con que concluye el espectáculo. Hay tres subgéneros principales: la revista de costumbres, la sicalíptica (también llamada frívola o alegre) y la política. La **revista política** tiene como propósito peculiar la sátira de personajes o acontecimientos políticos locales y recientes, y suele tener también elementos costumbristas y sicalípticos. La revista política tuvo en México un notable desarrollo desde comienzos de la Revolución de 1910 hasta la década siguiente. (Véase «sicalíptico», «lírico», «libreto», «tiple»).

ritmo

Proporción armoniosa, orden acompasado, en la sucesión de las escenas.

ritual

Ceremonial que se lleva a cabo en ocasiones religiosas o solemnes y que contiene considerables elementos teatrales, como por ejemplo acciones estilizadas en un lugar especial o sagrado, y división entre «actores» y espectadores. Se supone que en las orgías y festividades celebradas en honor del dios griego Dionisio se originó el teatro occidental, y que por eso el teatro helénico clásico y todo el teatro posterior tienen interesantes rasgos ritualísticos.

robar escena

Hacer el actor movimientos o emitir sonidos no ordenados por el director, con el solo propósito de atraer la atención del público sobre él.

rol

Papel que desempeña un actor o actriz. Es un neologismo ya bastante común en castellano, proveniente del francés *rôle.* (Véase «juego de roles»).

romanticismo

En la historia del teatro occidental, se designa con este vocablo a un movimiento dramático del siglo XIX que destacó la creatividad y la libertad de expresión, desdeñando las restricciones del canon neoclásico precedente. El drama romántico pone más énfasis en la expresión de las emociones que en la estructura. De preferencia, la temática es heroica y fantasiosa, el lenguaje, grandilocuente, y el tono, exaltado. Los protagonistas románticos tienden a ser sobrehumanos o idealizados. Por su gran libertad estructural, los dramas románticos han constituido un reto especial para los directores. Probablemente la obra romántica más famosa del mundo hispánico es *Don Juan Tenorio* de José Zorrilla (España, 1817-1893).

S

sainete
Pieza jocosa, en un acto breve, de tipo costumbrista, que solía representarse intercalada entre los actos de una obra mayor. Tiene trama unitaria. Los efectos cómicos pueden producirse por las situaciones en que se encuentran los personajes, por su conducta o por su manera de expresarse. Famoso autor de sainetes costumbristas fue el español Ramón de la Cruz (1731-1794). Con frecuencia se usa este término como genérico para toda obra cómica menor.

sainete criollo
Forma dramática breve, costumbrista y divertida, a menudo tragicómica, que representa las actividades y conflictos de sectores sociales marginados, y que prevaleció en el Río de la Plata entre 1890 y 1930. Derivada del sainete español del siglo XIX, se caracteriza por el uso abundante del lenguaje «arrabalero» (incluso el «lunfardo» y el «cocoliche»), por la pintura de tipos pintorescos del suburbio donde se mezclan criollos e inmigrantes, y por situaciones melodramáticas y de violencia. El lugar predilecto para la acción dramática es el patio interior de la casa de vecindad llamada «conventillo». Algunos de los personajes-tipo del sainete criollo son el «guapo» criollo, el «tano» (napolitano, italiano) y el «yoyega» (gallego). (Véase «cocoliche», «grotesco criollo»).

sala
Lugar del teatro destinado al público. Auditorio.

saltimbanco o **saltimbanqui**
Titiritero. Acróbata. Feriante.

scenario
Esquema o sinopsis de la trama de una pieza dramática, que contiene descripciones muy generales acerca de los personajes, situaciones, etc. Es una palabra inglesa derivada del italiano y del latín. Concepto semejante a *canovaccio.* (Véase «*Commedia dell'arte*»).

script (Véase «libreto»).

sedes (Véase «mansión»).

semiología o **semiótica**
La ciencia que se ocupa del estudio de los signos como medios de producción de sentido. Desde la década de 1970 se han realizado

numerosas investigaciones, sobre todo en Francia e Italia, para analizar la rica densidad sígnica del teatro. Una de las primeras contribuciones fue la de Tadeusz Kowzan, que propuso una clasificación de trece sistemas de signos en el teatro, que ha sido después modificada y ampliada por otros, como Martin Esslin, quien llegó a especificar 24 sistemas. Estas clasificaciones son sintomáticas del tipo de trabajo que suelen hacer los semióticos, que en su afán científico no siempre ponen suficiente interés en los aspectos estéticos y contextuales del teatro. Muchos de ellos tampoco han puesto la debida atención al papel del espectador en la construcción de sentido. Con todo, estudiosos como Keir Elam, Patrice Pavis y Anne Ubersfeld han ayudado sin duda a explicar interesantes aspectos del complejo fenómeno teatral. (Véase «signo», «código», «recepción», «lectura»).

set
Término inglés, ya utilizado en castellano, que significa decorado o dispositivo escénico.

setting
Palabra inglesa que designa tanto el lugar ficcional de la acción (bien sea en el texto, bien en el escenario), como la escenografía con que se lo representa en el tablado escénico. La palabra castellana «escena» tiene esas dos acepciones. (Véase «escena»).

sicalíptico
De intención obscena. El humor sicalíptico es común en el teatro de revista.

signo
Aquello que significa algo para alguien. El signo es una entidad dual, que vincula un significante, también llamado vehículo del signo por algunos semióticos, y un significado o concepto mental. En el escenario, las palabras que se dicen, la música, los elementos del decorado, el vestuario, todos son signos. También lo es la actriz que representa, digamos, a Bernarda Alba, quien es por tanto una entidad dual en que se unen significante y concepto mental. Uno de los aspectos más fascinantes de la representación teatral es que en ella pueden significarse cosas con una gran variedad de medios, según sea la relación de éstos con los otros elementos de la representación: un caballo puede ser simbolizado por un trozo de madera «cabalgado» por un actor, o por un actor que lleva sobre su espalda a otra persona, o (en una escenificación naturalista) por un caballo de carne y hueso.

El estudioso polaco Tadeusz Kowzan distingue trece categorías o sistemas de signos posibles en un espectáculo teatral: la palabra, el tono, la mímica facial, el gesto corporal, el movimiento, el maquillaje, el peinado, el vestuario, los accesorios, el decorado, la iluminación, la música y los efectos de sonido. El ha propuesto que la unidad semiótica mínima en un espectáculo teatral está constituida por un corte o tajada que contenga todos los signos emitidos simultáneamente, cuya duración (del corte) equivale a la del signo que dura menos. (Véase «semiología»).

silencio chejoviano

Técnica vinculada con Anton Chejov (Rusia, 1860-1904), consistente en adscribir a un personaje una conducta silenciosa como portadora de un sentido especial. Un buen ejemplo sería el mutismo inicial del protagonista de *Barranca abajo*, de Florencio Sánchez (Uruguay, 1875-1910), que manifiesta de esta manera su perturbación mental.

situación dramática

Configuración en tensión de personajes en un momento determinado de la acción. Cuando se transforma esa configuración, sobreviene una nueva situación, y así avanza la acción dramática. Con frecuencia la duración de las situaciones coincide con la de las escenas o cuadros. Patrice Pavis ha hecho notar la aparente contradicción del término, pues dramático implica una tensión, una «dialéctica de acciones», mientras que situación puede sugerir algo estático y descriptivo. La situación dramática es pues una especie de retablo o fotografía de las relaciones dialécticas de los personajes en un momento dado de la acción. En la práctica, los directores y actores identifican sin mayor dificultad una situación, en tanto que este ejercicio suele ser menos fácil para el analista textual.

skene

En el teatro griego clásico, *skene* o *skenotheke* era una pequeña cabaña de madera ubicada detrás de la orquesta, utilizada por los actores para cambiarse. Al transformarse en un edificio sólido, la *skene* devino un fondo fijo para la acción dramática, y podía representar un templo o un palacio.

sketch o **esqueche**

Se refiere a una escena independiente y corta, que suele formar parte de espectáculos heterogéneos como la revista.

sociodrama

1. Con este nombre se conoce en Estados Unidos un método de creación que hace uso de varios recursos propios del teatro para resolver conflictos reales de grupo. La técnica principal es el juego de roles, que obliga a los participantes a ver un problema desde otro ángulo. 2. En un sentido más amplio, se llama sociodrama toda pieza dramática que tenga un fuerte contenido social y cuyos fines primordiales sean extra-artísticos. (Véase «drama social»).

sofista

Tramoyista encargado de las maniobras de altura. Se le llama también **telarista** por operar la parrilla del telar.

soliloquio
Discurso dicho por un personaje como si estuviera hablando consigo mismo. Equivale al monólogo interior de la narrativa: el personaje medita en voz alta sobre su situación psicológica o moral. Es un recurso ajeno al teatro realista. Uno de los soliloquios más famosos del teatro hispánico es el de Segismundo («pues el delito mayor / del hombre es haber nacido») en el primer Acto de *La vida es sueño*, de Pedro Calderón de la Barca (España, 1600-1681). Aunque ya no se utiliza esta convención en el teatro actualmente, subsiste en el cine en la técnica del *voice-over*.

spot
Reflector que ilumina concentradamente a un actor o un área determinada del escenario.

subtexto
Sentido escondido, no articulado en el diálogo, pero inferible de varios indicios textuales, que inclusive puede contradecir el sentido literal de los parlamentos. Se aplica sobre todo a una técnica irónica de actuación, favorita de Stanislavski y de Reinhardt, según la cual los actores se ocupan en gestos y acciones que no tienen nada que ver con lo que están diciendo o con lo que se supone que deben sentir.

subtrama
Es una línea de acción secundaria y su contextura, frecuente en las obras de enredo. La subtrama puede servir de eco o de contraste a la trama principal.

superobjetivo
Concepto asociado con el método stanislavskiano de interpretación escénica, que tiene que ver con la razón de ser del personaje. En *Cómo se prepara un actor*, el director ruso insiste en que todo aspecto (u «objetivo» menor) de la interpretación de un papel debe estar orientado en la misma dirección, siguiendo la misma línea sólida e inquebrantable, que es el superobjetivo.

suspenso
Del inglés *suspense*, significa la ansiosa duda y expectación del lector o espectador ante el desarrollo y especialmente ante el desenlace de la acción dramática. El suspenso suele darse en torno a finales sospresivos en los melodramas y teledramas, o en torno a la manera como el protagonista llega a un destino que el espectador intuye como ineludible, en las tragedias.

tanda

El «teatro de las tandas» es la versión mexicana del «teatro por horas» o «teatro por secciones» de España y de otros países hispanos. El teatro de las tandas fue muy popular en la Ciudad de México a principios del siglo XX. Por destacarse en este tipo de producción teatral, el Teatro Principal de esa ciudad se conocía como «la Catedral de la Tanda», al igual que al Teatro Apolo, de Madrid, se lo llamaba «la Catedral del Género Chico». (Véase «teatro por horas»).

taquilla

Boletería. Conjunto de localidades vendidas.

teatral

Lo relativo a la representación escénica. (Véase «texto teatral»).

teatralismo

Estilo de escritura dramática y de escenificación que, en reacción contra el ilusionismo buscado por las escuelas realistas y naturalistas, acentúa el carácter artificioso y lúdico del teatro. Una técnica favorita del teatralismo es el metadrama.

teatrino

Maqueta a escala de lo que será el decorado de una producción teatral.

teatrista

Gente de teatro.

teatro

Tiene varios sentidos, pertinentes tanto a la literatura dramática como a la actividad de llevarla a escena y al espacio en que se escenifica. 1. Edificio destinado a la representación de dramas (el Teatro de la Zarzuela, de Madrid). 2. Arquitectura teatral (teatro arena). 3. Profesión de actor o de dramaturgo («Nuria Espert se dedicó al teatro desde muy joven»). 4. Conjunto de todas las producciones dramáticas de un pueblo, de una época o de un autor (el teatro chileno, el teatro del Siglo de Oro, el teatro de Alejandro Casona). 5. Literatura dramática («el novelista Benito Pérez Galdós escribió también teatro»). 6. Estilo dramático o escénico (teatro naturalista). 7. Compañía que representa dramas (el Teatro del Pueblo, de Buenos Aires). 8. Representación teatral («esta noche vamos a ver teatro»). 9. Entre los griegos antiguos, teatro (*theatron*, un lugar para ver) designaba el anfiteatro que circundaba al área de actuación conocida como orquesta.

10. Una acepción menos común es la de un lugar donde ocurre una cosa («el teatro de la guerra»). Respetando esta multiplicidad semántica, fuertemente enraizada en diversas tradiciones críticas, aparece el vocablo «teatro» con varias de esas acepciones en este glosario.

teatro a la italiana

Edificio rectangular cuyos dos espacios principales (el escenario y el auditorio) están divididos por el «arco del proscenio» y su telón de boca. Este diseño ha prevalecido en el teatro occidental, a partir de principios del siglo XVII, cuando se edificó el Teatro Farnese de Parma, precursor de esta arquitectura teatral. Con esa concepción espacial del teatro surgió también la escenografía en perspectiva.

teatro ambiental (Véase «ambiental»).

teatro antropológico (Véase «antropológico»).

Teatro Arena

Institución independiente de San Pablo, Brasil, con la que uno de sus fundadores, Augusto Boal, experimentó en la década de 1960 con algunas de las técnicas de su «teatro del oprimido». El «sistema comodín» (*sistema coringa*, en portugués), desarrollado a partir de 1965 con la serie *Arena cuenta*, y el «teatro periodístico» (*teatro jornal*), modalidad de teatro popular promovida por el Grupo Núcleo de la compañía Arena, sentaron las bases de la estética del oprimido. (Véase «oprimido»).

teatro bufo (Véase «bufo»).

teatro callejero (Véase «callejero»).

teatro chicano (Véase «chicano»).

teatro de actor

Aquél que centra su efectividad en el rendimiento de los actores y actrices. La *Commedia dell'arte* era una forma de teatro de actor. En la segunda mitad del siglo XIX y a comienzos del siglo XX, muchas de las grandes compañías de teatro estaban encabezadas por prestigiosas y a veces excéntricas figuras de la escena, de cuyo lucimiento dependía el éxito del espectáculo; ejemplos: Sarah Bernhardt (Francia, 1844-1923), María Guerrero (España, 1868-1928), Margarita Xirgu (España, 1888-1969). En la actualidad, el «teatro pobre» de Jerzy Grotowski (Polonia, 1933) y el teatro de creación colectiva pueden considerarse formas del teatro de actor. (Véase «divismo», «teatro de director»).

Teatro de Arte de Moscú

Compañía establecida por Konstantin Stanislavski (Rusia, 1863-1938) y Vladimir Nemirovich-Danchenko (Rusia, 1858-1943), durante la última década del siglo XIX, y consagrada a superar con técnicas realistas y naturalistas de actuación el estilo acartonado y efectista de las escuelas tradicionales. Sus técnicas escénicas se vieron apoyadas por obras de Anton Chejov (Rusia, 1860-1904), Máximo Gorki (Rusia, 1868-1936) y otros autores naturalistas, a la vez que contribuyeron a la consolidación de ese estilo dramático. El Teatro de Arte de Moscú eventualmente derivó hacia el Simbolismo. El tratado de Stanislavski *Cómo se prepara un actor* sigue siendo de utilidad para la gente de teatro. (Véase «método»).

teatro de bolsillo
Sala teatral pequeña.

teatro de cámara (Véase «cámara»).

teatro de carpa (Véase «carpa»).

teatro de director
Aquél que depende, para su éxito, de la capacidad e imaginación del director. Como corriente escénica, se originó en Europa a fines del siglo XIX y se fundamentó en el trabajo armonizador del director, quien puso especial esmero en coordinar los diversos elementos del montaje. Dicha corriente contó con innovadores tan distinguidos, algunos de ellos francamente revolucionarios en sus concepciones escénicas, como André Antoine (Francia, 1859-1943), Konstantin Stanislavski (Rusia, 1863-1938), Max Reinhardt (Austria, 1873-1943) y Edward Gordon Craig (Inglaterra, 1872-1966). (Véase «teatro de actor»).

teatro de la crueldad (Véase «crueldad»).

teatro de variedades (Véase «variedades»).

teatro del absurdo (Véase «absurdo»).

teatro del oprimido (Véase «oprimido»).

Teatro del Pueblo
Institución teatral y cultural fundada en 1930 en Buenos Aires por Leónidas Barletta (Argentina, 1902-1975). Promovió notablemente el desarrollo del llamado Teatro Independiente y en general la renovación escénica rioplatense.

teatro documental (Véase «documental»).

teatro épico (Véase «épico»).

teatro experimental (Véase «experimental»).

Teatro Experimental de Cali
Fundado en Cali, Colombia, en 1955 por el director, dramaturgo y teórico Enrique Buenaventura (Colombia, 1925), este grupo contribuyó considerablemente al desarrollo del teatro independiente en ese país. El método de montaje colectivo concebido por Buenaventura y su grupo es muy conocido en los círculos independientes de América Latina.

teatro folklórico (Véase «folklórico»).

teatro-foro (Véase «foro»).

teatro independiente (Véase «independiente»).

teatro invisible (Véase «invisible»).

teatro isabelino (Véase «isabelino»).

Teatro Libre
Teatro-estudio fundado en 1887 en París por André Antoine (Francia, 1859-1943), quien, con el apoyo de Emile Zola (Francia, 1840-1902), introdujo en la escena el Naturalismo y la libertad de actuación. Formaron parte de su repertorio obras de Zola, Henri Becque (Francia, 1837-1899), Henrik Ibsen (Noruega, 1828-1906) y Gerhart Hauptmann (Alemania, 1862-1946). Varias compañías se crearon en Europa bajo la inspiración del trabajo artístico del Teatro Libre.

teatro lírico (Véase lírico»).

teatro litúrgico (Véase «litúrgico»).

teatro medieval (véase «medieval»).

teatro misionero o **evangelizador** (Véase «misionero»).

teatro para leer (Véase «drama para ser leído»).

teatro periódico (Véase «periódico»).

teatro pobre (Véase «pobre»).

teatro poético (Véase «poético»).

teatro político (Véase «político»).

teatro popular (Véase «popular»).

teatro por horas
Uno de una serie de hasta cuatro o cinco espectáculos escénicos cortos que se ofrecían a precio mínimo en un mismo teatro y en un mismo día, y al que se asistía por separado, a fines del siglo XIX y comienzos del XX en

España y otros países hispanos. El «teatro de las tandas» es la versión mexicana del «teatro por horas». (Véase «tanda»).

teatro precolombino (Véase «precolombino»).

teatro total (Véase «total»).

técnico
Persona encargada de las facetas técnicas del montaje, tales como iluminación, sonido, etc.

telar
Sistema de varas, cuerdas, poleas y tambores colocados por encima de las bambalinas, que sirven para bajar y subir piezas del decorado. Se llaman así por su parecido con las máquinas de tejer. (Véase «sofista»).

teledrama (Véase «telenovela»).

telenovela
Dramatización televisiva serial de carácter melodramático y de estructura episódica, que se apoya principalmente en el anzuelo sentimental y en el de la intriga. Hablando con propiedad, debería llamarse «teledrama serial», aunque se la conoce comúnmente como «telenovela» o «novela». Estos teledramas suelen gozar de gran popularidad porque tratan temas representados como cotidianos (crisis matrimoniales, hijos rebeldes, problemas de salud, etc.) y porque las tramas incitan la curiosidad del espectador a la vez que difieren la satisfacción de la respuesta. Es posible que esa popularidad también se deba a que los espectadores pueden realizar vicariamente experiencias consideradas prohibidas, peligrosas o inapropiadas, tales como adulterios, seducciones o venganzas.

telón de boca
La cortina que cae entre la escena y el proscenio. Dramáticamente, sirve para marcar el principio o fin de una escena o acto, al subir o bajar. En las escenificaciones convencionales se hacen los cambios de decorado sólo cuando está bajado el telón, para que el público no sea testigo del artificio y así no se rompa la ilusión dramática.

telón de fondo
La cortina o lienzo que cuelga desde el telar en la parte posterior del escenario. Contribuye a crear la sensación de un lugar o ambiente particular y forma parte del decorado. (Véase «panorámica», «ciclorama»).

tema
Idea central del drama. No debe confundirse con «asunto», que es la materia de que trata una obra. Un drama como *Corona de sombra*, de

Rodolfo Usigli, es de asunto histórico, pero puede decirse que su tema es la locura o la soberanía nacional.

tempo
Velocidad relativa de las escenas de un drama. En algunas escenas la acción se desarrolla lentamente, en otras con mayor velocidad. El tempo puede variar dentro de una misma escena.

temporada
Extensión de varios días, semanas o meses, durante el cual se ofrecen espectáculos teatrales, en un teatro o ciudad. Periodo en que una compañía hace teatro en un lugar determinado.

término
Refiriéndose al espacio escénico, es sinónimo de «plano». (Véase «primer plano»).

tesis (Véase «drama de tesis»).

Tespis o **Thespis**
Fundador legendario del drama griego, del siglo VI a. C. Al representar el papel de Dionisio en las festividades báquicas y al alternar con el coro inventó el diálogo y, por consiguiente, el drama. Se dice que viajaba por Grecia en un carruaje (el famoso Carro de Tespis) para entretener a la gente con su arte teatral. En honor a él, se dice **tespiano** o **téspico** como equivalente a teatral.

texto dramático
Según las teorías teatrales recientes, hay una diferencia entre texto dramático y texto teatral. El texto dramático es un escrito, al menos parcialmente de ficción, que ha sido concebido para ser representado por un equipo artístico-técnico en un escenario ante un público. Está compuesto por el diálogo y las acotaciones. Al pasar del papel a la escena, el texto se convierte en un complejo sistema de signos auditivos y visuales. Concluida la representación teatral, fenómeno efímero, lo único que queda es el texto dramático. Para algunos estudiosos modernos, como Patrice Pavis, existen varias maneras de entender la relación entre el texto dramático, el director y el montaje. Según una de ellas, la más tradicional y logocéntrica, el montaje no es sino la traducción del texto a signos escénicos, cosa que el director hace con total fidelidad al texto originario. Según otra, el texto no es sino el punto de partida que el director aprovecha para ejercitar su talento creador en el montaje. Un tercer punto de vista alude a una interacción conflictiva entre texto (autor) y director, de cuya relación dialéctica surge el montaje. Por último, hay quienes ven el texto dramático como algo inacabado, que sólo se completa con el montaje. (Véase «texto teatral»).

texto teatral

El texto teatral es el conjunto de signos auditivos y visuales estructurados en un espacio escénico ante un público, que resulta de la integración de varios elementos: el texto dramático, la interpretación de los actores, y la labor de escenistas y técnicos, todos ellos coordinados por el director. Patrice Pavis lo define como el texto dramático puesto en una situación concreta de enunciación, en un espacio concreto, ante un público. A veces se llama también «texto espectacular» o «texto de la performancia» (del inglés *performance text*). Lo distintivo del texto teatral es que, como regla general, es un producto colectivo, del director, de los actores y de los diseñadores de escenografía, vestuario, iluminación, etc., partiendo del texto dramático e incorporándolo en dicho producto. Es también un producto «multi-mediático», que se realiza en una serie de sistemas de signos. (Véase «signo», «texto dramático»).

tiempo

El análisis del tiempo suele regirse por la siguiente categorización. El **tiempo físico**, **teatral** o **de la representación** es la duración del espectáculo, el tiempo real de la representación teatral, o sea unas dos o tres horas por lo común. El **tiempo dramático** es el período de tiempo que transcurre en la ficción dramática. Más estrictamente hablando, éste puede subdividirse en dos: **tiempo de la fábula**, que es el lapso que comprende el periodo total de la historia tratada en el drama (v. gr., unos treinta años en el caso de *Edipo Rey*), y **tiempo de la acción**, que es el espacio temporal comprendido desde el principio del conflicto dramático hasta su desenlace, o desde la primera escena hasta la última (unas pocas horas, en la tragedia mencionada de Sófocles). Algunos estudiosos, como André Helbo, hacen una distinción, pertinente al tiempo dramático, entre **tiempo mítico**, que es un tiempo cerrado, circular, propio de lo ritual y sagrado, y **tiempo histórico**, cuya principal característica es la progresión continua e irreversible hacia un final que difiere marcadamente del principio.

tiple

En el teatro lírico, actriz que canta. **Vicetiples** son «coristas» o actrices-cantantes de segunda categoría. Había tiples cómicas y sentimentales, según fuera el tono de las canciones que preferían interpretar. Tiples como María Conesa o Celia Montalván se convirtieron en auténticos ídolos para grandes sectores del público mexicano a comienzos del siglo XX.

tipo (Véase «personaje-tipo»).

títere

Muñeco manejado por un operador en su mano. El manipulador, que generalmente no es visto por el público, se llama **titiritero** o **titerista.** Una forma famosa de teatro de títeres para niños y adultos es el teatro *Bunraku* del Japón, que utiliza muñecos de un metro de altura manejados por operadores visibles pero silenciosos. (Véase «marioneta»).

total; teatro total

Alude a un espectáculo, hasta cierto punto ideal, formado por la interrelación intensiva y sintética de todas las artes: música, coreografía, diálogo, escenografía, iluminación, etc.

tragedia

Obra dramática seria en que el protagonista es conducido a un desenlace funesto y desdichado, y que tiene la capacidad de conmover al lector/espectador, hacerle reflexionar sobre temas de gran consecuencia y enriquecerle con dicha experiencia. El héroe o heroína aparece al principio como una persona llena de satisfacción y confianza, que tiene una posición respetable dentro de su grupo social, y que al final cae en desgracia y muy frecuentemente muere. El/ella lucha contra lo que gradualmente va revelándose como un destino adverso inexorable, y ello gana la admiración del lector/espectador.

La tragedia clásica tiene características peculiares, estudiadas por Aristóteles en su *Poética.* Allí la define como «reproducción imitativa [mimesis] de una acción esforzada, completa en sí misma, grandiosa, en lenguaje deleitoso apropiado para cada una de las partes; imitación de hombres en acción, y no por narración, y por medio de conmiseración y terror que produzcan la purificación [catarsis] de tales emociones» (capítulo VI). Según el filósofo, la trama trágica, que es sencilla, consta de tres elementos fundamentales: la peripecia (cambio de fortuna), la anagnórisis (reconocimiento) y la calamidad (sufrimiento excesivo del héroe); y el fin de la tragedia es la catarsis o purgación de la piedad y el miedo, presuntamente por parte del espectador. Formalmente, la tragedia griega constaba de las siguientes partes: el prólogo, que era la escena inicial que proveía la información básica con que armar la trama; el párodo, que era el primer canto del coro; luego alternaban los episodios, en que dialogaban los personajes, y las odas corales, en que cantaba el coro; por último, el éxodo, que era la escena en que el coro y los personajes salían del área de actuación.

En la época moderna se ha procurado revivir este género adaptándolo a las nuevas circunstancias. Un cambio importante es el del nivel social del héroe: éste ya no pertenece a la realeza o nobleza, sino que es una persona común y corriente. Muestras de tales intentos son *Barranca abajo,* de Florencio Sánchez (Uruguay, 1875-1910), *La muerte de un viajante,* de Arthur Miller (Estados Unidos, 1916), y *En la ardiente oscuridad,* de Antonio Buero Vallejo (España, 1916), quien además ha escrito acerca de la tragedia antigua y moderna. (Véase «anagnórisis», «catarsis», «peripecia», «hamartia»).

tragicomedia

Drama que se desarrolla trágicamente pero que tiene un desenlace feliz. En un sentido más amplio, cualquier drama que contiene, mezclados, elementos trágicos y cómicos. La primera cronológicamente y una de las tragicomedias más famosas del mundo hispánico es *La Celestina* (1499) de Fernando de Rojas. Lope de Vega ensalzó este género en su *Arte nuevo de hacer comedias*. Una forma moderna de tragicomedia es el «grotesco criollo» argentino.

trama

Tal como sugiere esta metáfora proveniente del telar, trama es la contextura o disposición interna de los eventos (hilos) del drama. Son las grandes líneas de la acción en el aspecto de su estructura. Es lo mismo que *plot* en inglés. Al contrastar trama con historia, puede decirse que trama es la manera específica como el autor cuenta una historia: la historia es el **qué**, la trama es el **cómo**. Una misma historia o fábula puede ser contada o «tramada» de diversas maneras. Los parlamentos que tienen especial importancia para el avance de la acción se denominan **líneas de trama**. Aristóteles definió la trama como la disposición ordenada de los incidentes representados. La acción, según él, debería ser completa y orgánica, tener principio, medio y fin, y ajustarse a las normas de unidad (de acción y tiempo), de probabilidad y necesidad. Además, al referirse a la trama de la tragedia, dice que consta de tres partes fundamentales: la peripecia, la anagnórisis y la calamidad.

Hay dos tipos fundamentales de trama: la **lineal** y la **episódica**. En la primera la ordenación de los eventos está determinada por la causalidad, de modo que cada incidente es provocado por el anterior y provoca, a su vez, al que le sigue. La trama lineal puede subdividirse en dos: la trama de un solo hilo o acción (como la de *Edipo Rey*, de Sófocles, que Aristóteles propuso como modelo de este modo de organización), y la de un hilo o acción central que va acompañado de varios hilos o acciones subordinadas (como en tantas comedias del Siglo de Oro). En ambos casos el dramaturgo suele organizar los eventos de modo que haya cierto grado de suspenso y un punto culminate de la acción. En la trama episódica los acontecimientos se suceden con relativa independencia, como si se tratara de analizar desde varios ángulos un tema o personaje, más bien que de presentar una historia en avance implacable hacia el final. En teoría, la trama episódica es adversa al recurso del suspenso y punto culminante característico de la trama lineal, pero de hecho en casi todo drama podemos encontrar cuando menos la escena cimera o culminante. Bertolt Brecht privilegió esta clase de trama como propia del teatro épico.

Northrop Frye ha propuesto cuatro tipos principales de trama (llamados por él mitos o *mythoi*), que son también cuatro maneras básicas de ver el mundo. El mito o trama de primavera corresponde a la trama **cómica**, que es la del amor triunfante sobre los impedimentos puestos por la sociedad, y que busca la integración y reconciliación. El mito de verano o **romántico** idealiza al héroe en su peligroso viaje de búsqueda, que él culmina exitosamente después de vencer a sus enemigos. El mito de otoño o **trágico** es aquél en que el héroe es superado por los obstáculos, ya sean divinos, humanos o naturales. Y el mito de invierno o **irónico**, aquél en que los seres humanos aparecen incapaces de alterar su mundo, son cautivos de él, en contraste con el mito de verano.

Otro esquema analítico de interés es el propuesto por A. J. Greimas, conocido como el modelo **actancial**, que ha sido aplicado al drama por Anne Ubersfeld. Este modelo propone que toda narrativa, inclusive las del género dramático, se estructura (se «trama») como una oración gramatical, cuyas categorías fundamentales son seis: destinador, sujeto, destinatario, objeto, ayudante y oponente. (Véase «acción dramática», «unidades», «subtrama», «argumento», «fábula», «comedia», «tragedia», «actante», «motivo»).

tramoya

1. Todos los elementos de la escena que sirven para su decorado. 2. Maquinaria o artificio con que se efectúan los cambios del decorado. La persona encargada de tales máquinas se llama **tramoyista** o maquinista.

trampa

Escotillón.

traspunte

Apuntador que desde un costado del escenario previene a cada actor o actriz cuando ha de entrar a escena.

~ U ~

unidades

Es costumbre, pero equivocada, referirse a «las tres unidades» dramáticas (la de acción, la de tiempo y la de lugar), como «aristotélicas». Aristóteles sólo analiza la primera, y hace una fugaz mención de la segunda; el filósofo no hace referencia a la de lugar, pero de hecho se observaba por lo general en los dramas griegos, pues la representación teatral se hacía sin interrupciones, por tanto sin mutación de lugar. A partir del Renacimiento, se comenzó a atribuirle a Aristóteles también la unidad de lugar como requisito de composición dramática. En relación con la unidad de acción, el Estagirita dice que debe haber una sola trama, y que ésta debe ser orgánica y completa: con principio, medio y fin. Con respecto a la de tiempo, señala brevemente que en lo posible la acción debería transcurrir en «una sola revolución del sol».

unipersonal

Espectáculo ejecutado por un solo actor o actriz, quien suele ser también el autor o la autora del libreto. El unipersonal suele tener lugar en salas pequeñas, y puede incluir una considerable variedad de actos, desde recitación, hasta canto y danza.

utilería

Todos los objetos o accesorios que sirven para completar el decorado de la escena o que utiliza el actor para complementar su interpretación. Los primeros (como libros, teléfonos, floreros) constituyen la **utilería de escena** o **de escenario**; los segundos (un bastón, una espada, un abanico, un cigarrillo), la **utilería de mano**. La persona encargada de la utilería se denomina **utilero**. Utilería equivale al inglés *properties* o *props*. En algunos países se distingue entre utilería (muebles y objetos de mayor volumen) y accesorios (objetos más pequeños).

variedades; *varietés*; teatro de variedades

Espectáculo compuesto por atracciones diversas, tales como canciones, bailes, chistes, actos de magia o circo, etc. Puede incluir también esqueches.

verosimilitud

Es verosímil aquello que resulta creíble porque parece verdadero y se asemeja a la realidad que conocemos. Ya Aristóteles aludió a la verosimilitud en su *Poética* (capítulo IX) al referirse a los principios de probabilidad y necesidad como base de la verdad universal de la ficción poética. Durante el Neoclasicismo francés este principio se convirtió en una doctrina que enlazó la verosimilitud con las llamadas tres unidades y restringió la libertad creadora del escritor. También el Realismo y el Naturalismo subrayaron la importancia de la verosimilitud en la composición dramática. En la actualidad ni los críticos ni los espectadores conceden mucho valor artístico a la verosimilitud.

vestuario

Conjunto de trajes necesarios para una representación teatral.

villano

Originalmente, villano significaba sólo vecino de una villa o aldea. En la dramaturgia del Siglo de Oro español, los villanos aparecen investidos de cualidades positivas, como el pundonor, honradez, sentido de justicia y sencillez de vida (tal el caso de los villanos de *Fuenteovejuna*). El término fue adquiriendo connotaciones negativas al contraponerse a noble, y en la actualidad villano quiere decir «el malo» de la obra (como el *villain* inglés), que obstaculiza los propósitos del héroe.

vodevil

Espectáculo ligero de origen francés (*vaudeville*), sin trama única, que consta de danza, canto, esqueches y escenas de variedades. Fue muy popular en Europa desde fines del siglo XIX hasta 1930 más o menos.

voz

En la teoría del discurso dramático/teatral, voz es la conciencia que se hace presente a través del lenguaje. En un texto dramático convencional son varias las voces que se escuchan, por eso se ha dicho que el drama es un género eminentemente polifónico. Aparte de la voz de los diversos personajes, se percibe además la del autor, y en el caso del espectáculo teatral, también la del director. La voz autorial se esconde y se revela en los discursos de los personajes y, tratándose del texto dramático, también en las acotaciones. La voz del director, en cambio, está inscrita en las huellas dejadas por él en la puesta en escena. Anne Ubersfeld ha propuesto, siguiendo a Bajtín, que en el teatro está presente además la voz del público, la conciencia hacia la cual va dirigida la obra. Como ha señalado Bajtín, cada voz tiene siempre un deseo y una voluntad y una ideología detrás de sí. Entre esas diversas voces se entabla una rica interacción: entre los personajes, entre el autor y el público, entre el autor y los personajes, entre el director y el público, y asimismo entre el director y el autor. Aunque no siempre es una tarea fácil, esas diversas voces son perfectamente identificables por el analista. (Véase «discurso»).

Z

zarzuela

Obra dramática y musical, con unidad de trama, que combina diálogo, canto y baile. La zarzuela surgió en España en el siglo XVII como espectáculo cortesano, según algunos independientemente de la ópera italiana, aunque parece bastante cierto que asimiló varios elementos de ésta (arias, duetos, coros homofónicos de cuatro partes, etc.). Con el tiempo dejó de asociarse con la aristocracia y devino accesible al gran público. La zarzuela breve (en un acto, cómica, a veces satírica) que se hizo popular en España e Hispanoamérica a fines del siglo XIX se conoció con el nombre de **zarzuela chica**.

Se presume que fue Calderón de la Barca quien sistematizó el género con *El jardín de Falerina* (1648), partiendo de un interludio picaresco llamado «Baile de la Zarzuela», conocido en España ya por 1615, el cual estaba basado a su vez en una pastorela del siglo XV. En la época de Calderón este género se desarrolló en la corte real y se aristocratizó. Los temas eran predominantemente mitológicos o heroicos. Las obras eran extensas (tres actos por lo general). Durante el siglo XVIII la zarzuela casi desapareció debido a la presencia de la ópera italiana en la corte española (el italiano llegó a ser el idioma de la diplomacia y de la alta cultura).

El género se popularizó a mediados del siglo XIX. Pintaba entonces la vida de los estratos sociales medios y bajos, se adornaba con un humor accesible a las mayorías y con elementos costumbristas, bailes regionales y canciones alegres en boga como la «tonadilla» o la «seguidilla». Se abrevió su extensión a uno o dos actos. A finales del siglo XIX la zarzuela enlazó con el «género chico» y entró a formar parte del sistema de teatro por horas. Se hizo tan popular la zarzuela chica que el público aplaudía con enorme entusiasmo, interrumpía la representación y exigía la repetición de números musicales. El género adquirió entonces caracteres claramente nacionalistas y populistas.

En 1856 se inauguró en Madrid el Teatro de la Zarzuela, controlado por una sociedad de productores y escritores dedicados a promover el negocio de este espectáculo. El Teatro de la Zarzuela, junto con el Apolo y el Eslava, fueron los principales centros del teatro por horas a fines de siglo en la capital española. Compositores importantes de esta nueva modalidad del género fueron Barbieri, Chueca, Gaztambide, Chapí (autor de más de 150 zarzuelas), Bretón (*La verbena de la paloma*), etc. *La gran vía* (de Chueca y Valverde) llegó a tener mil representaciones consecutivas. El género fue de considerable aceptación popular hasta mediados del siglo XX, tanto en España como en Iberoamérica.

APENDICE PARA ANGLOPARLANTES

TÉRMINOS EN INGLÉS CON SUS CORRESPONDIENTES EN CASTELLANO

Advertencia: No se registran en esta lista varias palabras que son virtualmente idénticas en ambos idiomas y que son de sentido obvio, como «diction/dicción», «realism/realismo». Conviene notar que varios vocablos tienen connotaciones específicas en cada lengua, y que las correspondencias que se dan no pretenden por tanto ser exactas, sino apenas un punto aproximado de partida. Hay algunos términos, como «comedia de capa y espada», «esperpento» o «grotesco criollo», para los cuales simplemente no hay traducción.

Actant	Actante
Acting	Actuación
Acting space	Area de actuación
Action	Acción dramática
Actor, actress	Actor, actriz, comediante
Actor's theater	Teatro de actor
Acoustic scenery	Decorado verbal o acústico
Ad lib	Morcilla
Agitprop	Agitprop, teatro político
Alienation effect	Distanciamiento
Amphitheater	Anfiteatro
Antagonist	Antagonista
Anthropological theater	Teatro antropológico
Apollonian	Apolíneo
Apron stage	Proscenio, ante escena
Arena stage	Teatro arena, teatro circular
Ars poetica	Arte poética
Aside	Aparte
Atellan farce	Farsa o fábula atelana
Auditorium	Auditorio, sala
Balcony	Galería de fondo y lateral
Bay area	Cajas, Entre bastidores
Benefit performance	Representación de beneficio
Black humor	Humor negro
Border, top masking	Bambalina
Boulevard theater	Teatro de bulevar o bulevardero
Box (in the auditorium)	Palco
Box office	Boletería, taquilla
Brechtian theater	Teatro brechtiano, épico
Calamity	Calamidad, catástrofe
Cast	Reparto, dramatis personae, elenco

Catalyst	Catalizador
Catharsis	Catarsis
Censorship	Censura
Chamber theater	Teatro de cámara
Character	Personaje, carácter
Character actor	Característico
Choral ode	Oda o canto coral
Chorus	Coro
Chorus character	Personaje coral
Climax	Clímax, punto culminante
Cloak room	Guardarropía
Closet drama	Drama para ser leído
Clown	Gracioso, payaso
Code	Código
Comedy of humors	Comedia de carácter
Comedy of intrigue	Comedia de enredo
Comedy of manners	Comedia de costumbres
Comic opera	Opera bufa
Complication	Desarrollo, nudo, enredo
Composer	Compositor, maestro
Confidant/e	Confidente
Convention	Convención, código
Costumes	Vestuario
Curtain	Telón
Decorum	Decoro, propiedad
Delight and instruction	Divertir y enseñar
Dénouement	Desenlace
Deuteragonist	Deuteragonista
Designer	Diseñador
Distancing	Distanciamiento
Dithyramb	Ditirambo
Documentary drama	Drama documental, docudrama
Drama of ideas	Drama de ideas
Dramatic illusion	Ilusión dramática
Dramatic irony	Ironía dramática
Dramatic language	Lenguaje dramático
Dramatic situation	Situación dramática
Dramatic structure	Estructura dramática
Dramatic text	Texto dramático
Dramaturge	Dramaturgista
Dramatist	Dramaturgo(a)
Dramaturgy	Dramaturgia
Eclogue	Egloga

Elizabethan drama	Teatro isabelino
Empathy	Empatía
Environmental theater	Teatro ambiental
Epic theater	Teatro épico, brechtiano
Epilogue	Epílogo
Episode	Episodio
Episodic plot	Trama episódica
Exit	Mutis, sale
Extra	Comparsa, figurante
Falling action	Desenlace
Farce	Farsa
Flashback	Analepsis, flashback
Flashforward	Prolepsis
Flats	Bastidores
Folk theater	Teatro folklórico
Fool	Gracioso
Footlights	Candilejas, batería de luces
Foreshadowing	Presagio
Fore-stage	Proscenio, ante-escena
Fourth wall	Cuarta pared
Gallery	Galería, paraíso
Gesture	Gesto
Grid	Parrilla, parrilla del telar, peine
Harlequin	Arlequín
Harlequinade	Arlequinada
Hermeneutics	Hermenéutica
High comedy	Alta comedia
Identify	Identificarse, empatizar
Imitation, mimesis	Mimesis
Hubris, hybris	Hibris
Implicit author	Autor virtual o implícito
Impresario	Empresario
Inciting force	Fuerza incitante
Interlude	Entremés, interludio
Intermission	Entreacto
Introduction	Presentación
Kinetics	Cinética, quinésica
Leading actor	Primer actor
Leading man	Galán
Legitimate theater	Drama no musical
Libretto	Libreto
Lighting	Iluminación
Liturgical drama	Teatro litúrgico

Locale	Lugar de la acción
Lyric theater	Teatro lírico
Make-up	Maquillaje
Marionette	Marioneta
Masque	Mascarada
Mask	Máscara
Metatheater	Metateatro
Method acting	Método
Mime	Mimo
Mimic art	Mímica
Minstrel	Trovador, juglar
Miracle play	Milagro, misterio
Mise en scène	Puesta en escena, mise en scène
Montage	Escenas simultáneas
Morality play	Moralidad
Motif	Motivo
Musical comedy	Comedia musical
Old man's part	Barba
Orchestra	Patio de butacas, platea, luneta
Orchestra pit	Foso de la orquesta
Pantomime	Pantomima
Paratheatrical	Parateatral
Parody	Parodia
Passion play	Drama de la pasión
Pastoral drama	Pastorela, posadas
Pathos	Pathos, sufrimiento
Peripety, peripeteia	Peripecia, peripeteia
Pity and fear	Conmiseración y terror
Play	Obra dramática, obra teatral
Play-within-a-play	Drama dentro del drama, metadrama
Playwright	Dramaturgo
Plot	Trama
Poetics	Poética
Political theater	Teatro político, agitprop
Practitioner	Practicante
Première	Estreno
Prima donna	Primera actriz, diva
Probability and necessity	Probabilidad y necesidad
Problem play	Drama de ideas
Producer	Productor
Prologue	Prólogo, loa
Prompter	Apuntador
Prompter's box	Concha del apuntador

Proscenium arch	Arco del proscenio, boca escena
Proscenium stage	Teatro a la italiana
Properties	Utilería, accesorios, attrezzo
Property master	Jefe de utilería
Protagonist	Protagonista
Proxemics	Proxémica
Psychodrama	Psicodrama
Puppet	Títere
Recognition	Reconocimiento, anagnórisis, agnición
Rehearsal	Ensayo
Repertory company	Compañía de repertorio
Resolution	Desenlace
Reversal	Peripecia, peripeteia
Revue	Revista
Rising action	Nudo, desarrollo
Role	Papel, rol
Role-playing	Juego de roles, juego de papeles
Scene	Escena, cuadro
Scene change	Cambio de escena, mutación
Scenery	Escenografía, decorado
Score	Partitura
Script	Guión
Season	Temporada
Self-censorship	Autocensura
Semiotics	Semiótica, Semiología
Set	Decorado, escenografía
Set design	Diseño escenográfico
Set designer	Escenógrafo
Setting	Escenografía, lugar de la acción
Sign	Signo
Situation comedy	Comedia de situación
Sketch	Esqueche, sketch
Soap opera	Telenovela, teledrama
Soliloquy	Soliloquio
Sound effects	Efectos de sonido
Spectacle	Espectáculo
Speech	Parlamento
Split character	Personaje escindido
Stage	Escenario
Stagecraft	Arte escénico
Stage direction	Acotación, didascalia
Stage fright	Pánico escénico
Stage hand	Tramoyista, maquinista

Stage left	Izquierda (del actor)
Stage manager	Regidor, traspunte
Stage time	Tiempo de la representación
Stage trap	Escotillón, trampa
Staging	Puesta en escena, escenificación
Star system	Divismo
Stock	Repertorio
Stock character	Personaje-tipo
Story	Fábula, historia
Street theater	Teatro callejero, teatro popular
Subplot	Subtrama
Subtext	Subtexto
Suspense	Suspenso
Tent theater	Teatro de carpa
Theater of cruelty	Teatro de la crueldad
Theater of the absurd	Teatro del absurdo
Theater of the oppressed	Teatro del oprimido
Theatrical frame	Marco teatral
Theatricalism	Teatralismo
Theatrical language	Lenguaje teatral
Theatrical pact	Pacto teatral
Theatrical text	Texto teatral
Theme	Tema
Thesis play	Drama de tesis
Thespis	Tespis
Thought (dianoia)	Dianoia
Tour	Gira
Tragic flaw	Hamartia, falla trágica
Tragic hero/ine	Héroe/heroína trágico(a)
Tragicomedy	Tragicomedia
Troupe	Elenco
Turning point	Crisis, punto de giro
Under stage	Foso
Vaudeville	Vodevil, vaudeville
Varietés	Teatro de variedades
Verisimilitude	Verosimilitud
Villain	Villano
Well-made play	Pièce bien faite, pieza bien hecha

BREVE BIBLIOGRAFIA COMENTADA

Aristóteles. *Poética*. Versión directa, introducción y notas de Juan David García Bacca. México: Universidad Nacional Autónoma de México, 1946. Esta es una muy buena edición, que incluye el texto griego y la traducción castellana frente a frente, y que viene acompañada de una erudita «introducción filosófica» y otra «técnica».

Azor, Ileana. *Origen y presencia del teatro en nuestra América*. La Habana: Editorial Letras Cubanas, 1988. Es una historia que abarca desde la época precolombina hasta el siglo XX, pero concentrándose en los movimientos, autores y obras más significativos. Aparte de esta y otras historias regionales, existen numerosas historias nacionales que podría consultar el lector que quisiera estudiar el teatro de algún país latinoamericano en particular.

Boal, Augusto. *Teatro del oprimido, y otras poéticas políticas*. Buenos Aires: Ediciones de la Flor, 1974. Este es el escrito teórico principal del autor brasileño, que contiene varios ensayos en torno a las formas fundamentales del teatro del oprimido, y también una crítica de la poética aristotélica, un estudio de Maquiavelo y la poética de la *virtú*, y un análisis de la concepción teatral y filosófica de Brecht en oposición a la de Hegel. Hay numerosas ediciones de este libro, bastante ampliadas las más recientes, en varios idiomas.

Bravo, Isidre. *L'escenografia catalana*. Barcelona: Diputació de Barcelona, 1986. Este lujoso libro reproduce una gran abundancia y variedad de fotografías a color del arte escenográfico catalán (de gran reputación en el mundo hispánico), desde las épocas más remotas hasta nuestros días. Contiene valiosos datos biográficos de los escenógrafos.

Brecht, Bertolt. *El pequeño organon para el teatro*. Trad. Christa y José M. Carandell. Granada: Editorial Don Quijote, 1983. En este breve «órganon» escrito en 1948, el autor alemán ofrece una lista de 76 puntos acerca de su teatro épico. En inglés, una excelente traducción y edición crítica es la de John Willet: «A Short Organon for the Theatre». En *Brecht on Theatre. The Development of an Aesthetic*. Trad. John Willet. New York: Hill and Wang, 1964, pp. 179-205.

Butcher, S. H. *Aristotle's Theory of Poetry and Fine Art*. London: MacMillan, 1895. Este libro consta de una traducción del famoso tratado del filósofo griego, y de un estudio muy erudito del mismo. Las reflexiones de Butcher sobre la función de la tragedia y sobre el héroe trágico son dignas de nota.

Carlson, Marvin. *Theories of the Theatre*. Ithaca and London: Cornell University Press, 1984. El autor analiza en forma compendiada un amplísimo cuerpo teórico, desde Platón hasta la época contemporánea. Incluye en su análisis a numerosos escritores españoles (Torres Naharro, López Pinciano, Lope de Vega, Cervantes, etc.) y le dedica también algún espacio al teatrista brasileño Augusto Boal y al chicano Luis Valdez.

Clark, Barrett H. *European Theories of the Drama*, with a Supplement on American Drama. Rev. Henry Popkin. New York: Crown Publishers, 1965. Contiene selecciones de escritos teóricos acerca del teatro, desde

Aristóteles hasta Tennessee Williams, pasando por Cervantes, Lope de Vega y García Lorca.

Díaz-Plaja, Guillermo, et al. *El teatro. Enciclopedia del arte escénico.* Barcelona: Noguer, 1958. Esta enciclopedia en un volumen, coordinada por Díaz-Plaja y realizada con la colaboración de numerosos especialistas españoles, cubre de modo conciso una gran variedad de temas: historia del teatro, géneros, espacios teatrales, escenografía, actuación, el teatro y la ley, etc. Contiene ilustraciones gráficas.

Díez Borque, José María, et al. *Historia del teatro en España,* en tres volúmenes, dirigida por José María Díez Borque. Madrid: Taurus, 1988. Es una historia amplia y erudita, que comienza con la Edad Media y que, aunque se concentra en el hecho literario, no se desentiende de los públicos, la representación escénica y aun manifestaciones parateatrales.

Elam, Keir. *The Semiotics of Theater and Drama.* London and New York: Methuen, 1980. De los numerosos estudios teóricos sobre el teatro desde la perspectiva semiótica, éste es quizás el más orgánico. Analiza tanto la naturaleza del texto dramático como la del fenómeno teatral, con abundantes ejemplos extraídos sobre todo de la obra de Shakespeare.

Enciclopedia dello spettacolo. Fondata da Silvio d'Amico. Roma: Le Maschere, 1962. Enciclopedia en varios volúmenes con extensa información y bibliografía sobre una gran gama de temas relativos a formas dramáticas y musicales, danza, cine y escenografía.

Escenarios de dos mundos. Inventario Teatral de Iberoamérica. Madrid: Centro de Documentación Teatral, 1988. En este libro de cuatro volúmenes se registra, desde variados puntos de vista, la diversa actividad teatral contemporánea de España, Portugal y el continente americano, inclusive Hispanoamérica, Brasil y Estados Unidos. Incluye ilustraciones gráficas.

Esslin, Martin. *The Theatre of the Absurd.* Garden City, New York: Doubleday, 1961. Estudio pionero sobre el tema, que analiza la dramaturgia de Samuel Beckett, Eugene Ionesco, Jean Genet, Harold Pinter, Fernando Arrabal y otros autores absurdistas.

Frye, Northrop. *Anatomy of Criticism. Four Essays.* Princeton, New Jersey: Princeton University Press, 1957. Es de interés su clasificación de los tipos fundamentales de la trama en la literatura.

Helbo, André, et al. *Approaching Theatre.* Bloomington and Indianapolis: Indiana University Press, 1987. En este libro hay contribuciones de varios de los semióticos teatrales más destacados, como Patrice Pavis, Anne Ubersfeld, Marco de Marinis y Franco Ruffini. En un capítulo sobre la pedagogía del teatro, Helbo da una serie de sugerencias para la lectura de un texto dramático y para el análisis de una representación teatral, partiendo de premisas estructuralistas y semióticas.

Hornby, Richard. *Drama, Metadrama, and Perception.* Lewisburg, Pennsylvania: Bucknell University Press, 1986. Hornby estudia este tema seductor del teatro moderno y ofrece una clasificación interesante de las técnicas del metadrama.

Luzuriaga, Gerardo. *Introducción a las teorías latinoamericanas del teatro.* Puebla, México: Universidad Autónoma de Puebla, 1990. Contiene análisis de las teorías de Rodolfo Usigli, Leónidas Barletta, Enrique Buenaventura, Santiago García, Eduardo Pavlovsky y Augusto Boal.

Pavis, Patrice. *Diccionario de teatro.* Trad. Fernando de Toro. Barcelona: Paidós, 1984. La versión original en francés es de 1980. Se trata de un trabajo muy extenso y ambicioso, con amplias definiciones y explicaciones, desde la perspectiva de los nuevos estudios europeos, en particular los semióticos.

Ruiz Ramón, Francisco. *Historia del teatro español.* 2 vols. Madrid: Alianza Editorial, 1967. Es un estudio bastante completo de la literatura dramática de España, que contiene observaciones muy pertinentes y perspicaces sobre numerosos autores.

Teatros de México. México: Fomento Cultural Banamex, 1991. Este magnífico volumen, con fotografías de Eduardo del Conde Arton y coordinación textual de Héctor Azar, recoge vistas exteriores e interiores a todo color, de los principales teatros de todos los estados de México. Las espléndidas imágenes van acompañadas de una relación somera acerca del teatro de evangelización en la Nueva España y otros tópicos relativos a la escena mexicana y europea.

Ubersfeld, Anne. *Semiótica teatral.* Trad. Francisco Torres Monreal. Madrid: Ediciones Cátedra y Universidad de Murcia, 1989. El texto original francés se titula *Lire le théâtre* (París: Éditions Sociales, 1978). Entre las valiosas aportaciones de este libro está una interesante discusión sobre el discurso teatral y la aplicación al teatro de la teoría actancial de Greimas y la teoría del dialogismo de Bajtín.

Vega y Carpio, Lope de. *El arte nuevo de hacer comedias en este tiempo.* Esta es la poética dramática más importante escrita en España durante la Edad de Oro, de la cual se han hecho numerosas ediciones. Un valioso estudio de este tratado es el trabajo de Juan Manuel Rozas: *Significado y doctrina del «Arte nuevo» de Lope.* Madrid: Sociedad General Española de Librería, 1976.

Villegas, Juan. *Ideología y discurso crítico sobre el teatro de España y América Latina.* Minneapolis: Ediciones Prisma, 1988. Se trata de una crítica de los varios tipos de estudio realizados sobre el teatro hispánico, y de unas sugestivas propuestas para un acercamiento al teatro teniendo presentes los productores y los destinatarios de los discursos teatrales y sus contextos.

LISTA DE ILUSTRACIONES

I.

1. Parrilla del telar
2. Ciclorama
3. Telón de fondo
4. Bambalina
5. Bastidor
6. Escenario
7. Decorado
8. Escotillón
9. Concha del apuntador
10. Telón de boca
11. Proscenio
12. Candilejas

II. Un teatro griego del período clásico con la orquesta en el centro, y vestigios de la *skene* a la izquierda. (Bamber Gascoigne, *World Theatre. An Illustrated Hisbory,*, 1968.

III. Representación de un misterio medieval, *El martirio de Santa Apolonia*, en versión pictórica (ca. 1460) de Jean Fouquet. Al fondo se observan seis mansiones: entre la de la izquierda, que representa el paraíso, y la del extremo derecho, que simboliza el infierno, hay una ocupada por los músicos y tres por espectadores. (Musée Condé, Chantilly. Fotografía de Giraudon. Oscar Brockett, *The Essential Theatre*, 1984).

IV. El Corral de Comedias de Almagro (Ciudad Real) después de su restauración (arriba); y (abajo) una maqueta del famoso Corral madrileño de la Pacheca. (Angel Valbuena Prat, *Historia del teatro español,* Noguer, 1956.)

V. Palcos, butacas, la orquesta y las tablas en el Park Theatre (New York, 1922), (Gascoigne, *op cit.*).

VI. Personajes típicos de la *Commedia dell'Arte.* (Gascoigne, *op cit.*)

VII. Teatro callejero. Torgeir Wethal en «El libro de las danzas», de Eugenio Barba. Perú, 1978. Foto de Tony d'Urso. (*La Escena Latinoamericana*, N° 6, mayo 1991).

Ilustración I

Ilustración II

Ilustración III

Ilustración IV

Ilustración V

Ilustración VI

Ilustración VII

INDICE

Prefacio 3

Sugerencias de lectura 5

Glosario dramático, teatral y crítico 9

Apéndice para angloparlantes 115

Breve bibliografía comentada 121

Lista de Ilustraciones 124

Indice 133